うんこ化石《かせき》

地球《ちきゅう》と生命《せいめい》の歴史《れきし》がわかる!

著 うんこ化石博士 泉賢太郎

絵 藤嶋マル

飛鳥新社

突然《とつぜん》ですが、
クイズです。

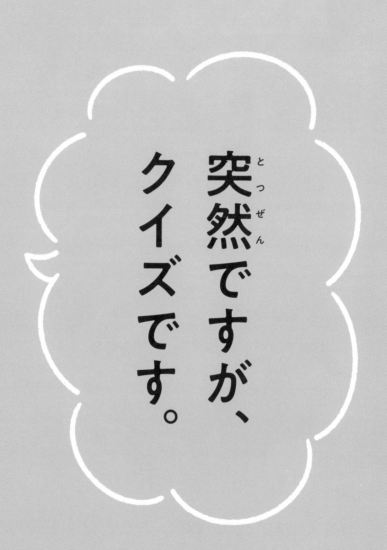

ティラノサウルスの
うんこは、
どれくらいの
大《おお》きさでしょう？

答《こた》えは、
長《なが》さ 約《やく》60cm
幅《はば》 約《やく》20cm
です。

なんと、人間《にんげん》のうんこの約《やく》37倍《ばい》!!

和式便所《わしきべんじょ》と同《おな》じくらいの大《おお》きさです。

化石《かせき》といえば、
恐竜《きょうりゅう》
マンモス
アンモナイト
植物《しょくぶつ》
昆虫《こんちゅう》
二枚貝《にまいがい》
などなど、あります。
が、それだけではありません。

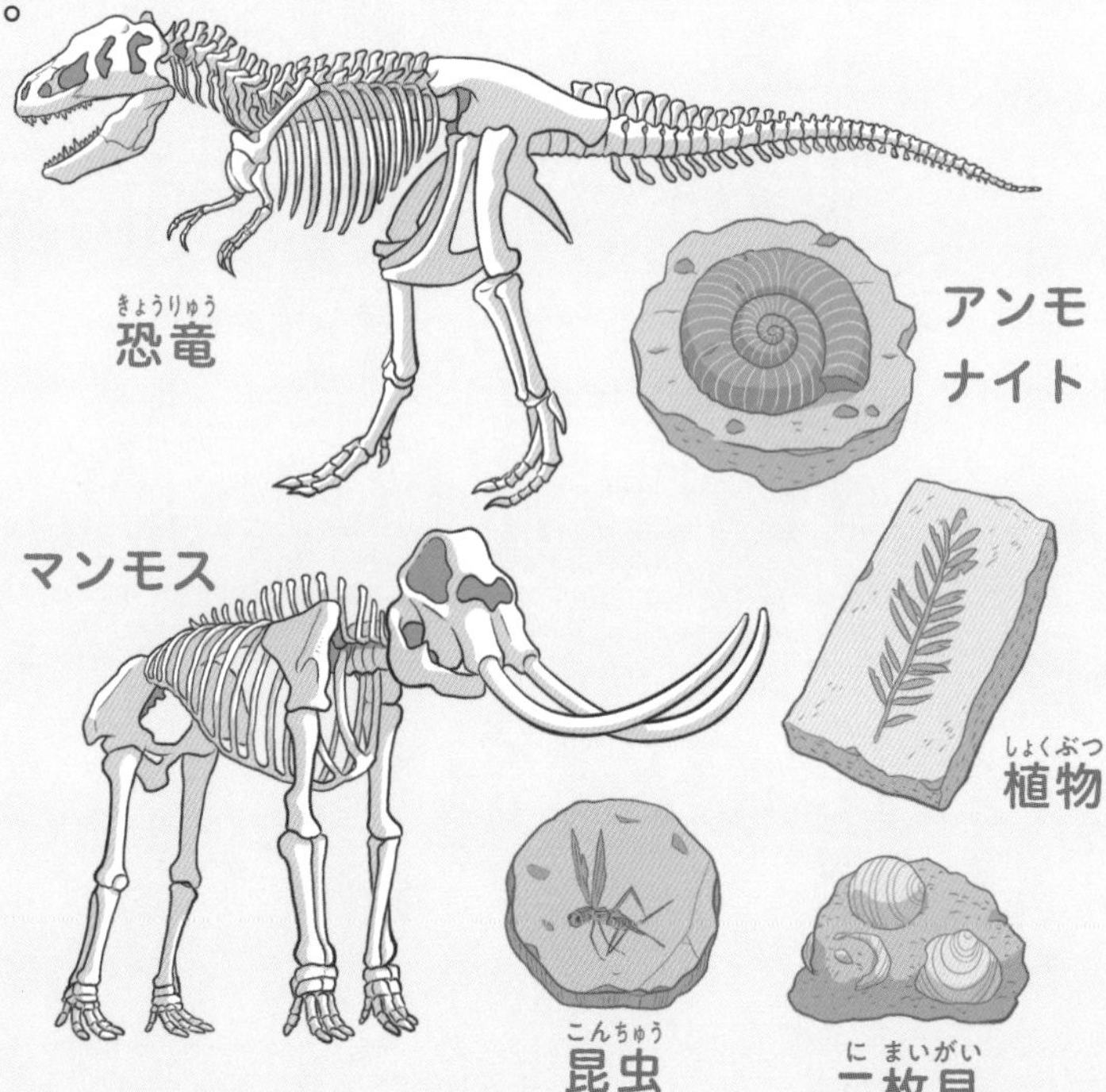

うんこも化石《かせき》に
なっているんです！

実際《じっさい》に世界各国《せかいかっこく》では、
いろんなうんこ化石《かせき》が見《み》つかっています。

- 超巨大《ちょうきょだい》うんこ化石《かせき》
- ヒトのうんこ化石《かせき》
- 骨《ほね》の破片《はへん》が残《のこ》っているうんこ化石《かせき》
- サメの歯型《はがた》がついたうんこ化石《かせき》
- 魚《さかな》のウロコが残《のこ》っているうんこ化石《かせき》
- 小型動物《こがたどうぶつ》に食《た》べられたあとがあるうんこ化石《かせき》　などなど

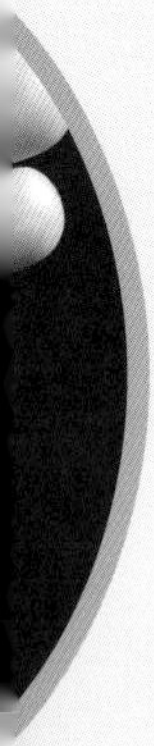

青谷上寺地遺跡《あおやかみじちいせき》から見《み》つかった弥生時代《やよいじだい》の
ヒトとイヌのうんこ化石《かせき》

小型動物《こがたどうぶつ》に食《た》べられた
あとがあるうんこ化石《かせき》

骨《ほね》の破片《はへん》が残《のこ》っている
縄文時代《じょうもんじだい》のうんこ化石《かせき》

サメの歯型《はがた》がついた
うんこ化石《かせき》

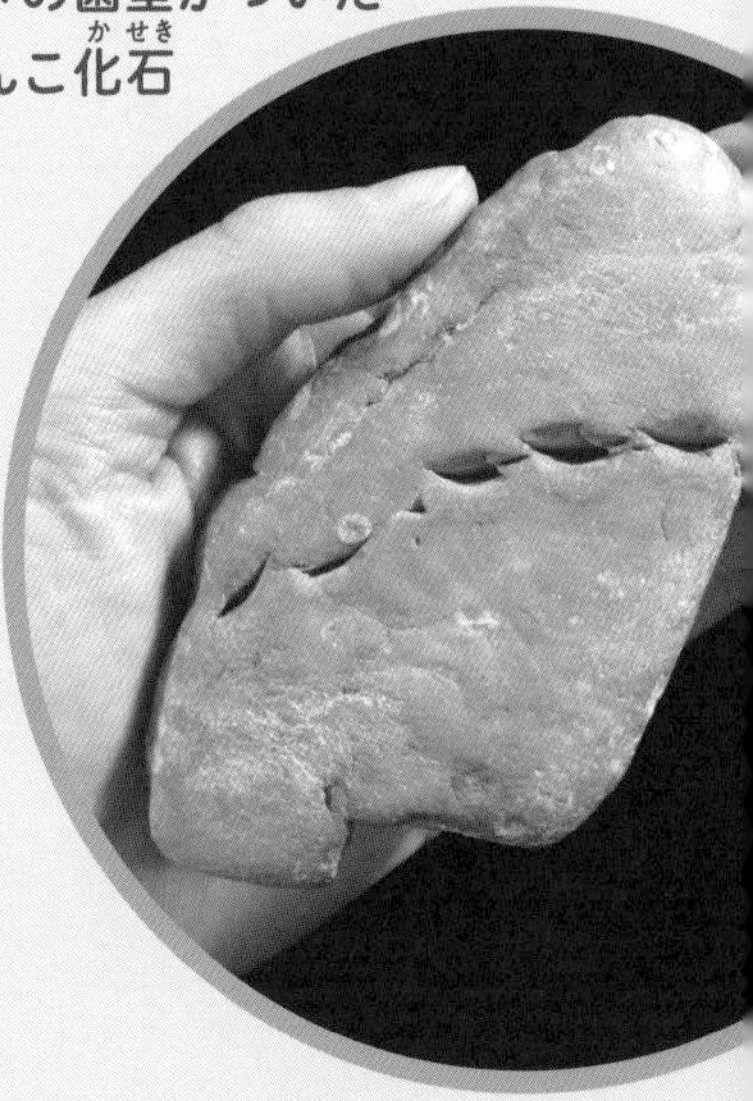

魚《さかな》のウロコが残《のこ》っている
うんこ化石《かせき》

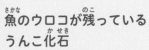

でも！

うんこが化石《かせき》になるためには、
多《おお》くの壁《かべ》を
乗《の》り越《こ》えなければなりません！

なぜなら、
できたてほやほやの
生《なま》うんこは
やわらかいから……。

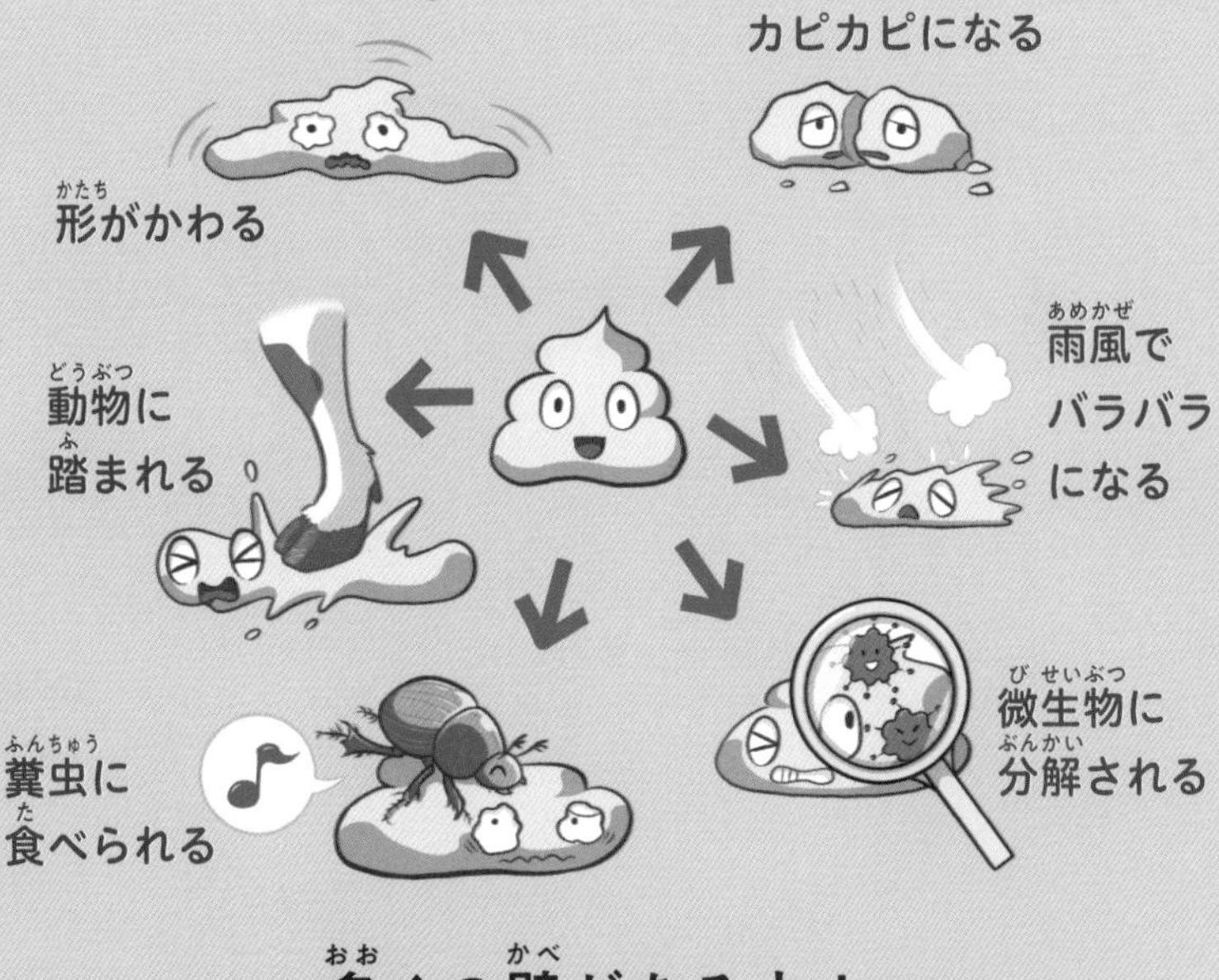
カピカピになる
形《かたち》がかわる
雨風《あめかぜ》で
バラバラ
になる
動物《どうぶつ》に
踏《ふ》まれる
微生物《びせいぶつ》に
分解《ぶんかい》される
糞虫《ふんちゅう》に
食《た》べられる

多《おお》くの壁《かべ》があるよ！

さらに
多《おお》くの壁《かべ》を乗《の》り越《こ》えても、
うんこが土砂《どしゃ》に埋《う》まって、
地層《ちそう》のなかに残《のこ》らないと、
化石《かせき》にはなれません！

そんな魔訶《まか》ふしぎなうんこ化石《かせき》について、
うんこ化石博士《かせきはかせ》の泉先生《いずみせんせい》が、
あんなことやこんなことを
お話《はな》しします。

さあ、うんこ化石《かせき》の世界《せかい》へ！
レッツゴーーー!!

はじめに

こんにちは、うんこ化石博士《かせきはかせ》の泉賢太郎《いずみけんたろう》です。

テレビなどで、うんこのかぶりものをかぶって、「うんこは、いかにおもしろいか」「うんこ化石《かせき》から古生物《こせいぶつ》のことがわかるんだよ」「うんこは歴史《れきし》のメッセンジャーなんだ」など、うんこ化石《かせき》にまつわるお話《はなし》をしています。

うんこって、汚《きたな》くて、クサくて、みんなの嫌《きら》われものっていうイメージがありませんか？

じつは、うんこって**ものすごくおもしろい！**

わたしは、最初《さいしょ》からうんこ化石《かせき》を研究《けんきゅう》するつもりはありませんでした。

でも、うんこ化石《かせき》を研究《けんきゅう》するにつれ、そのふしぎさや奥深《おくぶか》さ、奇跡的《きせきてき》な一面《いちめん》など、うんこ化石《かせき》に魅《み》せられてきたのです。

そんなステキなうんこ化《か》石《せき》について、ぜひ、みんなに知《し》ってもらいたいと思《おも》っています。

この本《ほん》を読《よ》むと、うんこの見方《みかた》がかわるかも!?

目次

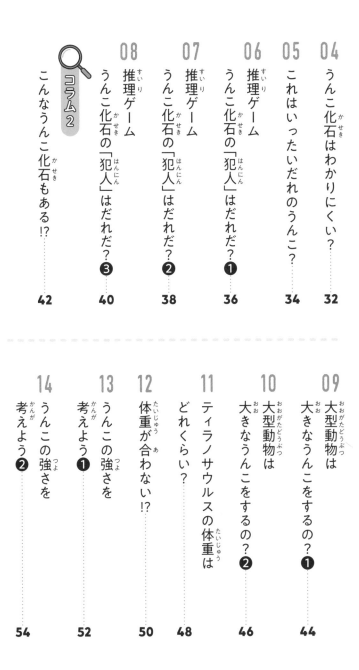

2 うんこはどうやって化石《かせき》になるの？

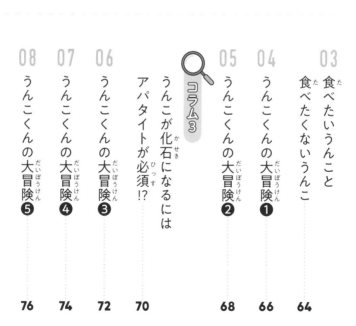

1
2
3
うんこ化石《かせき》大《おお》きさ選手権《せんしゅけん》

3 うんこ化石《かせき》から何《なに》がわかるの？

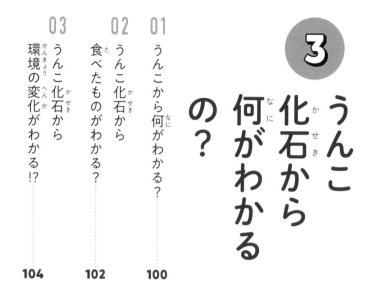

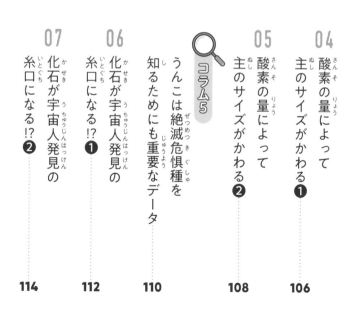

付録《ふろく》

古生物学者《こせいぶつがくしゃ》、化石《かせき》を研究《けんきゅう》する

ご協力《きょうりょく》いただいたみなさま、
誠《まこと》にありがとうございました

【写真提供】

鳥取県（p8）、著者（p9 上）、Calvert Marine Museum, Solomons, Maryland（Stephen J. Godfrey 博士）（p9 右、p43）、市原市教育委員会（p9 左）、著者（p9 下）、愛知大学　西本昌司教授（収蔵機関：ロイヤルサスカチュワン博物館）（p29）、福井県立恐竜博物館（p32）、KrimKate / PIXTA（ピクスタ）（p71）、著者（p85）、Lerosey-Aubril 博士（p89）、JAXA（p115 上下）、産総研地質調査総合センター（p120）

1

うんこ化石《かせき》って なぁに？

01

化石《かせき》ってどんなイメージ？

化石《かせき》といえば、どんなものをイメージしますか？

恐竜《きょうりゅう》やマンモス、アンモナイト、三葉虫《さんようちゅう》、アノマロカリスなどでしょうか？

どれも人気《にんき》の化石《かせき》ですね！

でも、ほかにも、さまざまな動《どう》物《ぶつ》の化石《かせき》があります。

これまでに見《み》つかった化石《かせき》は、なんと**約《やく》25万種《まんしゅ》**！

植物《しょくぶつ》や昆虫《こんちゅう》やサンゴやウニをはじめ、顕微鏡《けんびきょう》じゃないと見《み》えない、とても小《ちい》さなプランクトンの化石《かせき》など、いろいろな化石《かせき》があります。

いろんな生《い》き物《もの》がいたんですね。

でも、じつは地球上《ちきゅうじょう》に生命《せいめい》が誕生《たんじょう》した正確《せいかく》な時期《じき》は、今《いま》でもよくわかっていません。

ただ、約《やく》40億年前《おくねんまえ》の岩石《がんせき》のなかに、生命活動《せいめいかつどう》のあとが見《み》つかっています。

なので、少《すく》なくとも約《やく》40億年前《おくねんまえ》よりも前《まえ》に、地球上《ちきゅうじょう》に生命《せいめい》が誕《たん》生《じょう》したと考《かんが》えられています。

40億年《おくねん》という、とても長《なが》い生命《せいめい》の歴史《れきし》のあいだに、サンゴやアンモナイト、恐竜《きょうりゅう》、ヒトなど、とてつもなく多《おお》くの種類《しゅるい》の動物《どうぶつ》が誕《たん》生《じょう》しました。

ひとこと

化石《かせき》をくわしく研究《けんきゅう》することで、古生物《こせいぶつ》の暮《く》らしぶりや、過去《かこ》の地球《ちきゅう》環境《かんきょう》なども知《し》ることができますよ。

おそらく、化石《かせき》として見《み》つかっている約《やく》25万種《まんしゅ》よりも、もっともっと多《おお》くの古生物《こせいぶつ》が生《い》きていたでしょう。

つまり、まだ発見《はっけん》されることなく、どこかの地層《ちそう》のなかに眠《ねむ》っている化石《かせき》だって、たくさんあるはず！

化石《かせき》は、動植物《どうしょくぶつ》が生《い》きていた証拠《しょうこ》。

昔《むかし》、ティラノサウルスやスピノサウルス、アンモナイトなどが生《い》きていたことも、化石《かせき》があったから、わかったのです。

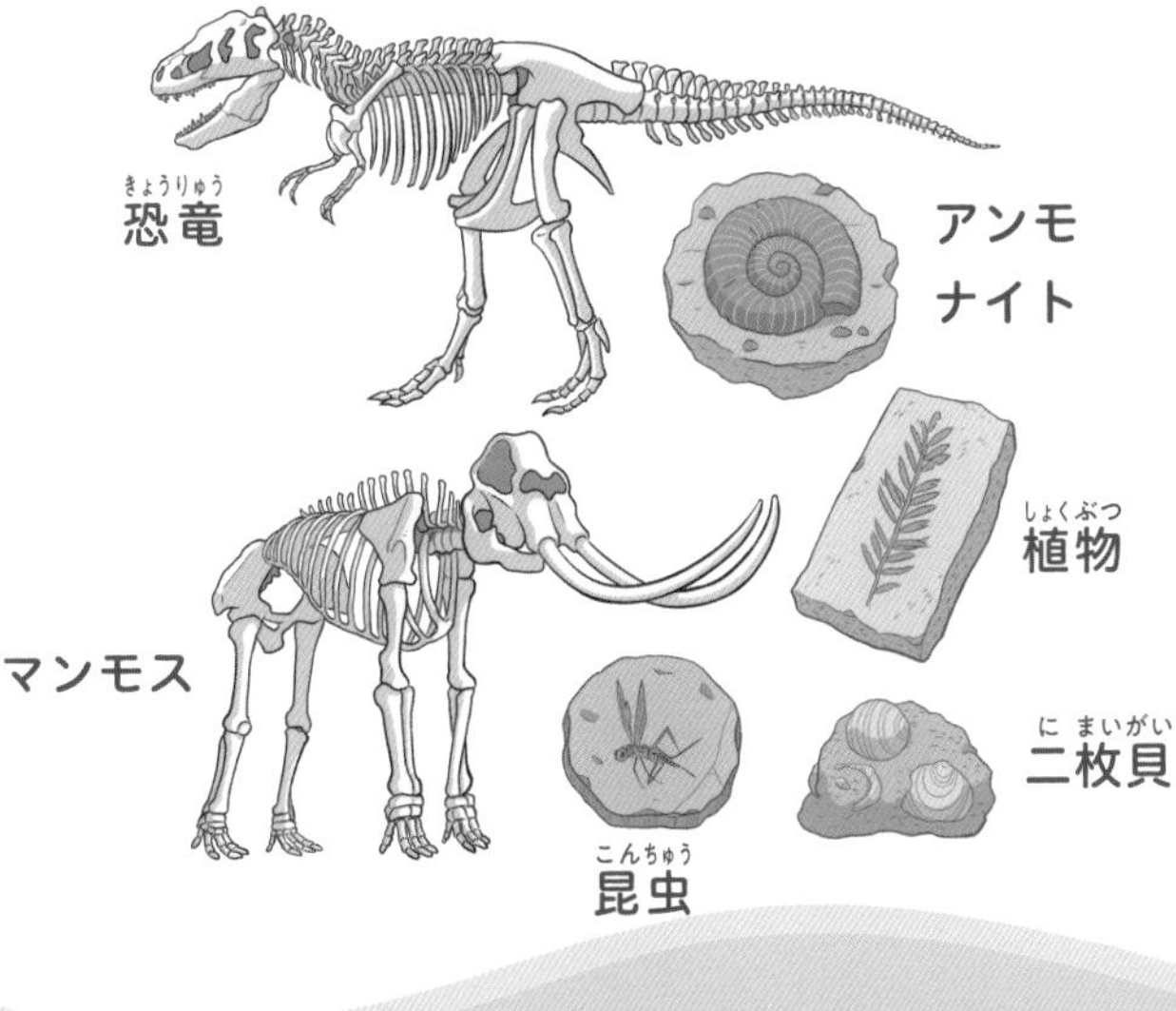

うんこの化石《かせき》もあるよ！ 02

動植物《どうしょくぶつ》の化石《かせき》はもちろん、足《あし》あとや巣穴《すあな》など、動物《どうぶつ》の活動《かつどう》や暮《く》らしぶりがわかる化石《かせき》も、発見《はっけん》されています。

そのなかでも、わたしが研究《けんきゅう》しているのは、**うんこの化石《かせき》**です。

うんこの化石《かせき》と聞《き》くと、なんだかクサそうだったり、汚《きたな》そうだったりしませんか？

でも、そんなことはありません。

わたしたちが出《だ》すやわらかいうんこ（これを**生《なま》うんこ**と呼《よ》んでいます）から、かたい鉱《こう》物《ぶつ》＊になるので、クサくもなければ、汚《きたな》くもないのです。

そんなうんこ化石《かせき》、はっきりいって**地《じ》味《み》**！

化石界《かせきかい》のスーパースター、ティラノサウルスの化石《かせき》にくらべると、キラキラ感《かん》はまったくない！

わたしも、はじめからうんこ化石《かせき》なんか研《けん》究《きゅう》するつもりではありませんでした。

それでも、うんこ化石《かせき》には、うんこ化石《かせき》にしかない魅力《みりょく》やおもしろさがあるので、いつのまにか、うんこ化石《かせき》の世界《せかい》にのめりこんでいきました。

ひとこと

化石《かせき》は、古生物《こせいぶつ》の死骸《しがい》や古生物《こせいぶつ》の活動《かつどう》のあとが地層《ちそう》のなかに残《のこ》されたもので、大《おお》きく2つに分《わ》けられます。

体化石《たいかせき》：骨《ほね》や歯《は》など、古生物《こせいぶつ》そのもののあと

生痕化石《せいこんかせき》：足《あし》あとや巣穴《すあな》など、古生物《こせいぶつ》の活動《かつどう》のあと

うんこ化石《かせき》は、古生物《こせいぶつ》の排泄行動《はいせつこうどう》（活動《かつどう》）のあとなので、生痕化石《せいこんかせき》の一種《いっしゅ》です。

＊　鉱物《こうぶつ》……石英《せきえい》や石《せっ》こうなど、天然《てんねん》に生《う》み出《だ》される結晶《けっしょう》のこと

03

超巨大《ちょうきょだい》うんこ化石《かせき》が見《み》つかった！

ある日《ひ》、カナダのアルバータ州《しゅう》で、**幅約《はばやく》20㎝、長《なが》さ約《やく》60㎝のうんこ化石《かせき》**が、見《み》つかりました。

ティラノサウルスのうんこ化石《かせき》だと、考《かんが》えられています。

60㎝といえば、バイオリンの長《なが》さや、ラグビーボールの横幅《よこはば》と同《おな》じ！

今《いま》まで見《み》つかったなかでも、とてつもなく大《おお》きいうんこ化石《かせき》です。

超巨大《ちょうきょだい》サイズ！

大《おお》きいと10m以上《いじょう》もある超巨大《ちょうきょだい》なティラノサウルスは、うんこも超巨大《ちょうきょだい》だったよう。

ティラノサウルスの超巨大《ちょうきょだい》うんこ化石《かせき》のように、「これはだれがどう見《み》ても、うんこ化《か》石《せき》だ！」というものもありますが、それは少数派《しょうすうは》——。

「これがうんこ化石《かせき》だよ！」といわれてから見《み》ても、「どこをどう見《み》ればいいんだろう……？」というような、うんこ化石《かせき》も少《すく》なくありません。

ひとこと

ちなみに、ヒト（おとな）のうんこの平均《へいきん》は、幅約《はばやく》2.5㎝、長《なが》さ約《やく》13㎝だそう。ティラノサウルスのうんこ化石《かせき》は、ヒトのうんこの約《やく》37倍《ばい》もあるんですね！

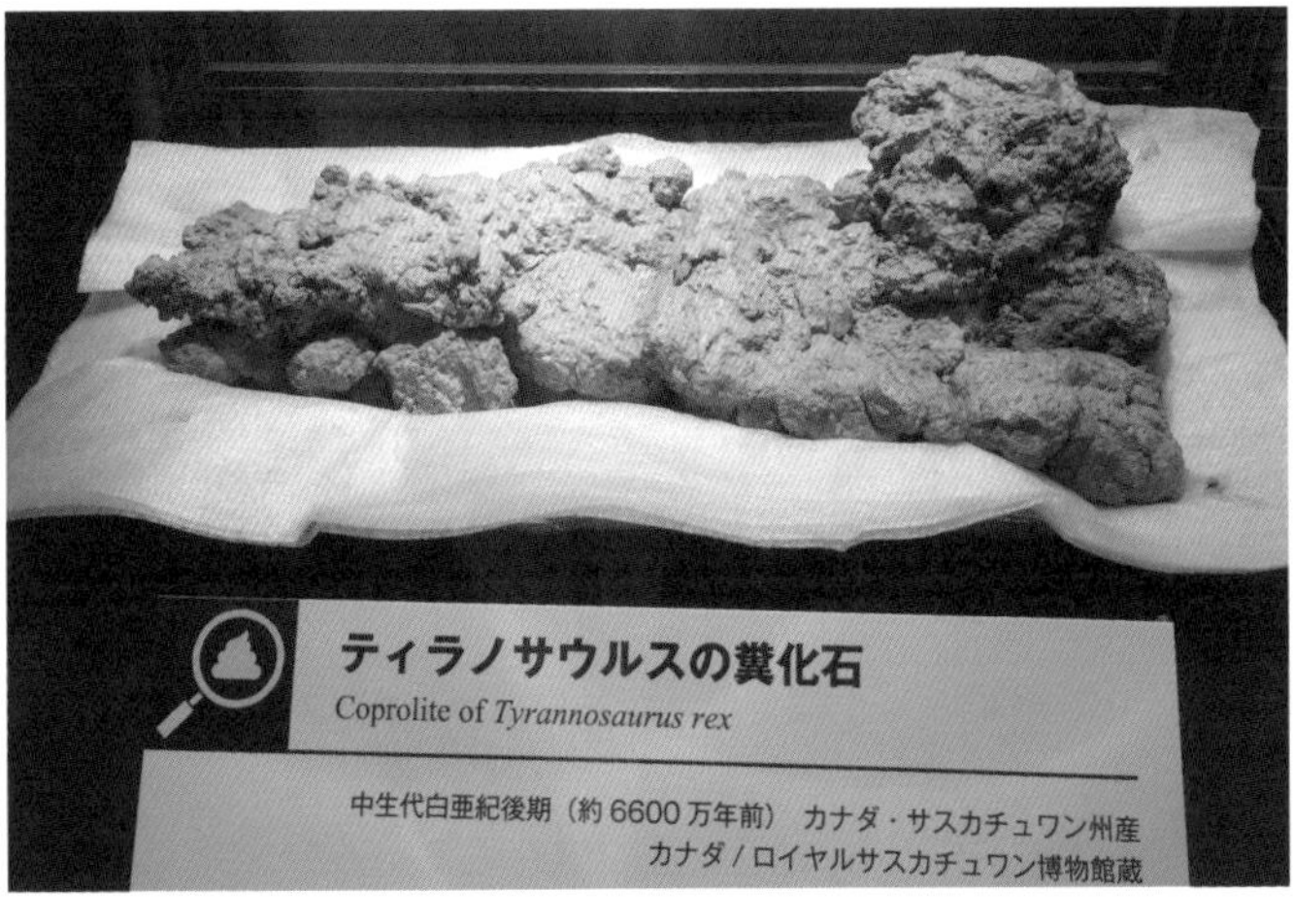
ティラノサウルスの糞化石
Coprolite of *Tyrannosaurus rex*
中生代白亜紀後期（約 6600 万年前） カナダ・サスカチュワン州産
カナダ / ロイヤルサスカチュワン博物館蔵

2016年《ねん》3月《がつ》19日《にち》～6月《がつ》12日《にち》に名古屋市《なごやし》科学館《かがくかん》で開催《かいさい》された特別展《とくべつてん》「恐竜《きょうりゅう》・化石研究所《かせきけんきゅうじょ》」で展示《てんじ》されたティラノサウルスのうんこ化石《かせき》

コラム 1

化石《かせき》は生命進化《せいめいしんか》の歴史《れきし》の証拠《しょうこ》!?

もし、1回《かい》誕生《たんじょう》した生《い》き物《もの》が、みんな絶滅《ぜつめつ》していなかったとしたら――。

きっと、地球上《ちきゅうじょう》にいる生《い》き物《もの》の種類《しゅるい》は、今《いま》よりも、もっともっと多《おお》くなっているはずです。

ジュラシックパークの世界《せかい》さながら、ティラノサウルスやスピノサウルスが、地球《ちきゅう》のどこかに生息《せいそく》しているかも。

そうしたら、わたしたちは、かれらに見《み》つからないように、常《つね》にひやひやしながら暮《く》らさなければいけませんね。

家《いえ》のなかにいても、ティラノサウルスが窓《まど》からきみのことを狙《ねら》っているなんてことも！

まあ、残念《ざんねん》ながら古生物《こせいぶつ》のほぼすべては、

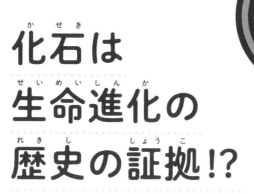

すでに絶滅《ぜつめつ》しています。

化石《かせき》になることなく絶滅《ぜつめつ》してしまった古生《こせい》物《ぶつ》も多《おお》い……。

今《いま》、地球上《ちきゅうじょう》に存在《そんざい》する生《い》き物《もの》は、ものすごく長《なが》い生命《せいめい》の歴史《れきし》の一部《いちぶ》でしかないのです。生命《せいめい》の歴史《れきし》のなかでは、短《みじか》い期間《きかん》で約半分《やくはんぶん》以上《いじょう》の種《しゅ》の生《い》き物《もの》が絶滅《ぜつめつ》してしまった大量《たいりょう》絶滅《ぜつめつ》が、何回《なんかい》か起《お》こっています。

それでも、生《い》き延《の》びた生《い》き物《もの》がいるのです。たとえ、わたしたちが絶滅《ぜつめつ》しても、ごく一《いち》部《ぶ》が化石《かせき》になれれば、何億年後《なんおくねんご》の知能《ちのう》をもった動物《どうぶつ》が生命《せいめい》の歴史《れきし》を解《と》き明《あ》かしてくれるかも!?

こうして、生命《せいめい》の歴史《れきし》は続《つづ》いていくのかもしれませんね。

うんこ化石《かせき》はわかりにくい？

04

うんこといえば、どういうイメージですか？
『うんこ漢字《かんじ》ドリル』（文響社《ぶんきょうしゃ》）に出《で》てくるうんこ先生《せんせい》のようなとぐろを巻《ま》いたうんこ、イヌやネコのうんこをイメージしますか？

実際《じっさい》に発見《はっけん》されたうんこ化石《かせき》は、これ！

実際《じっさい》に発見《はっけん》された恐竜《きょうりゅう》のうんこ化石《かせき》

どうですか？

うんこ化石《かせき》だと、わかりましたか？

このようにうんこ化石《かせき》は、かなりわかりにくいものも多《おお》いのです。

なので、目《め》の前《まえ》の「うんこ化石《かせき》だ！」と思《おも》われるもの」を「うんこ化石《かせき》だ！」と判断《はんだん》するには、科学《かがく》データを使《つか》う必要《ひつよう》があります。

「これはだれが見《み》ても、うんこ化石《かせき》だ！」という化石《かせき》も同《おな》じです。

「うんこ化石《かせき》だ！」とわかる科学《かがく》データがなければ、いつまで経《た》っても**「うんこ化石《かせき》のような見《み》た目《め》をしているもの」**になってしまいます。

うんこ化石《かせき》かどうかは、一生《いっしょう》わからないままなんてことも……。

ひとこと

うんこ化石《かせき》かどうかを判断《はんだん》するとき、いろんな科学《かがく》データを使《つか》います。

- **地層《ちそう》の特性《とくせい》や化石《かせき》の状態《じょうたい》を観察《かんさつ》したデータ**
- **化石《かせき》のサイズや形《かたち》などのデータ**
- **化石《かせき》のなかに残《のこ》っているものの観察《かんさつ》データ**
- **化石《かせき》の成分《せいぶん》の分析《ぶんせき》データ　など**

ひとつひとつの科学《かがく》データを集《あつ》めるには、たくさん細《こま》かい作業《さぎょう》をしなければいけないので、手間《てま》と時間《じかん》がかかります。

05 これはいったいだれのうんこ？

うんこ化石《かせき》かどうかを判断《はんだん》するのも大変《たいへん》ですが、それがだれのうんこ化石《かせき》なのかを調《しら》べるのもまた大変《たいへん》です。

そもそも、だれのうんこかわかるのでしょうか？

たとえば、ポチという1匹《ぴき》のイヌがうんこをした1分後《ぷんご》、きみは地面《じめん》に落《お》ちているうんこを見《み》つけました。

見《み》つけたうんこは、ポチのうんこですか？

ポチがうんこをしているのを見《み》ていたら、自信《じしん》をもって「ポチのうんこです！」といえますね。

でも見《み》ていなかったら、ポチがうんこの周《まわ》りにいても、「ポチのうんこだ！」と決《き》めつけることはできません。

地面《じめん》に落《お》ちている生《なま》うんこの主《ぬし》を特定《とくてい》するのさえ、むずかしい……。

うんこ化石《かせき》の主《ぬし》は、わたしたちが生《う》まれるはるか昔《むかし》に、うんこをしています。

ひとこと

人類《じんるい》が地球上《ちきゅうじょう》にはじめて出現《しゅつげん》したのは、約《やく》700万年前《まんねんまえ》のことです。なので、そもそも恐竜《きょうりゅう》が繁栄《はんえい》していたジュラ紀《き》や白亜紀《はくあき》に、人類《じんるい》は存在《そんざい》していません。

つまり、恐竜《きょうりゅう》がうんこをしたのは、人類《じんるい》が出現《しゅつげん》するよりもはるか昔《むかし》なので、だれも恐竜《きょうりゅう》がうんこをしたところを見《み》てはいないのです。

なので、うんこ化石《かせき》の主《ぬし》を100％いい切《き》ることはできない……。

それでも、科学《かがく》データを集《あつ》めることができれば、恐竜《きょうりゅう》のうんこだろうということもできるのです。


もちろん、だれも見《み》ていません。だから、うんこ化石《かせき》の主《ぬし》を特定《とくてい》するのは、もっともーーーっとむずかしいのです。

それでも、超巨大《ちょうきょだい》うんこ化石《かせき》は、ティラノサウルスのものだといわれています。

うんこ化石《かせき》の主《ぬし》を知《し》るためには、うんこ化《か》石《せき》かどうかを調《しら》べたときと同《おな》じで、科学《かがく》データを使《つか》って、動物《どうぶつ》の種類《しゅるい》をしぼりこんでいくのです。

06 推理《すいり》ゲーム　うんこ化石《かせき》の「犯人《はんにん》」はだれだ？①

今《いま》、とあるうんこ化石《かせき》が発掘《はっくつ》されました。だれのうんこなのかは、わかりません。うんこをした動物《どうぶつ》を「犯人《はんにん》」に見立《みた》てて、名探偵《めいたんてい》になったつもりで、調《しら》べてみましょう！

＊＊＊

うんこ化石《かせき》は、カナダのサスカチュワン州《しゅう》にある**白亜紀末《はくあきまつ》の地層《ちそう》**から見《み》つかりました（証拠《しょうこ》①）。

さらにうんこ化石《かせき》のサイズは、幅約《はばやく》15㎝、長《なが》さ約《やく》45㎝（証拠《しょうこ》②）。日常生活《にちじょうせいかつ》では出会《であ》わない**巨大《きょだい》なうんこ化石《かせき》**ですね。

これほど大《おお》きなうんこをした犯人《はんにん》は、大型《おおがた》

動物《どうぶつ》でしょう。

小型動物《こがたどうぶつ》でも、体《からだ》のわりに大《おお》きなうんこをするかもしれませんが、自分《じぶん》よりも大《おお》きいうんこをするのは、不可能《ふかのう》です。

証拠《しょうこ》①と証拠《しょうこ》②から、**「犯人《はんにん》は、白亜紀末《はくあきまつ》に生《い》きていた大型動物《おおがたどうぶつ》」**とわかりました！

07 推理《すいり》ゲーム　うんこ化石《かせき》の「犯人《はんにん》」はだれだ？②

観察《かんさつ》の結果《けっか》、**骨《ほね》の破片《はへん》**がありました（証拠《しょうこ》③）。

もしかしたら、たまたまうんこが落《お》ちた場所《ばしょ》に、べつの動物《どうぶつ》の死骸《しがい》があって、その骨《ほね》がうんこについたのかもしれません。

でも、見《み》ていないので、骨《ほね》がうんこについたかどうかは、わかりません。

なので、えものの骨《ほね》が、うんこのなかに残《のこ》

白亜紀末《はくあきまつ》に生《い》きていた大型動物《おおがたどうぶつ》というだけでは、まだまだ候補《こうほ》が多《おお》すぎます。もう少《すこ》し、犯人《はんにん》をしぼりこむ必要《ひつよう》がありますね。

そこで、うんこ化石《かせき》のなかを観察《かんさつ》しましょう。

うんこのなかに何《なに》か残《のこ》っていたら、それは犯人《はんにん》が食《た》べていたものかもしれません。

っていた可能性《かのうせい》が高《たか》そうですね。
よって、証拠《しょうこ》③から、**「犯人《はんにん》は、肉食動《にくしょくどう》物《ぶつ》」**といえます。

ひとこと

うんこ化石《かせき》の主《ぬし》を特定《とくてい》するための証拠《しょうこ》を集《あつ》めるのには、時間《じかん》も手間《てま》もかかります……。
そのため、**主不明《ぬしふめい》のうんこ化石《かせき》**もあるのです。
いや、むしろ主不明《ぬしふめい》のうんこ化石《かせき》のほうが、多《おお》いかもしれません。

08 推理《すいり》ゲーム　うんこ化石《かせき》の「犯人《はんにん》」はだれだ？③

証拠《しょうこ》①と証拠《しょうこ》②と証拠《しょうこ》③から、巨大《きょだい》うんこの犯人《はんにん》は、白亜紀末《はくあきまつ》に生《い》きていた大型《おおがた》の肉《にく》食動物《しょくどうぶつ》であることがわかりました。

もう少《すこ》し調《しら》べて、動物《どうぶつ》の種類《しゅるい》までしぼりこみたいところ——。

そこで、うんこ化石《かせき》が見《み》つかった地層《ちそう》から、ほかにも、化石《かせき》が見《み》つかっていないかを調《しら》べましょう。

同《おな》じ地層《ちそう》から、大型《おおがた》の肉食動物《にくしょくどうぶつ》の化石《かせき》が見《み》つかれば、その動物《どうぶつ》が犯人《はんにん》である可能性《かのうせい》が高《たか》いからです。

調《しら》べた結果《けっか》、同《おな》じ地層《ちそう》には、**ティラノサウルスの骨化石《ほねかせき》**がありました（証拠《しょうこ》④）。

これで、証拠《しょうこ》①と証拠《しょうこ》②、証拠《しょうこ》③、証拠《しょうこ》④から、**「巨大《きょだい》うんこの犯人《はんにん》は、ティラノサウルスである」**といえそうです！

このように、いろいろな科学《かがく》データを使《つか》うことで、ようやく、だれのうんこ化石《かせき》なのかがわかるのです。

ひとこと

博物館《はくぶつかん》などに展示《てんじ》されている化石《かせき》に、「ティラノサウルスのうんこ化《か》石《せき》」などのプレートが置《お》いてありますね。

なんの化石《かせき》なのかがわかるためには、時間《じかん》をかけて、科学《かがく》データをていねいに分析《ぶんせき》する必要《ひつよう》があるのです。

コラム 2

こんな うんこ化石《かせき》も ある!?

アメリカ東海岸《ひがしかいがん》から、かわったうんこ化石《かせき》が見《み》つかりました。

それは、**歯型《はがた》つきのうんこ化石《かせき》**。

アメリカ東海岸《ひがしかいがん》のチェサピーク湾《わん》の岸沿《きしぞ》いにある、約《やく》1500万年前《まんねんまえ》の地層《ちそう》から発見《はっけん》されました。

このうんこ化石《かせき》には、**サメの歯型《はがた》**と思《おも》われる模様《もよう》が、くっきりと残《のこ》っているのです。

でも、サメが水中《すいちゅう》でうんこにかみついたら、一瞬《いっしゅん》でバラバラになります。

それなのに、歯型《はがた》を残《のこ》したままうんこが、化石《かせき》になっていたのです。

サメがかみついたとき、うんこはワニの体《からだ》のなかにあったのかもしれません。

または、なんらかのかたちで、ワニの腸《ちょう》が

引《ひ》きずり出《だ》されたとき、サメがワニの腸《ちょう》にかみついたのかもしれません。
想像《そうぞう》したら、ちょっとおそろしい……。

それでも、このように、1つのうんこ化石《かせき》から、サメがワニを食《た》べていたかもしれないという過去《かこ》の食物連鎖《しょくもつれんさ》がわかるのも、スゴい。

うんこ化石《かせき》、あなどれませんね！

サメの歯型《はがた》がついた
うんこ化石《かせき》

09 大型動物《おおがたどうぶつ》は大《おお》きなうんこをするの？①

「推理《すいり》ゲーム」に出《で》てきた巨大《きょだい》うんこ化石《かせき》＊は、ティラノサウルスのものでした。

でも、本当《ほんとう》に幅約《はばやく》15㎝、長《なが》さ約《やく》45㎝のうんこをしたのでしょうか？

大《おお》きさを予想《よそう》するとき、よく目《め》にする数字《すうじ》よりも大《おお》きすぎると、正確《せいかく》にイメージするのがむずかしくなります。

たとえば、3歳《さい》の子《こ》どもは何《なん》㎝くらい、おとなの男《おとこ》の人《ひと》は何《なん》㎝くらいというのは、だいたいの身長《しんちょう》を予想《よそう》することができます。

それでは、東京《とうきょう》スカイツリーの高《たか》さを知《し》っていますか？

知《し》らない場合《ばあい》は、ぜひ予想《よそう》してください！

どうですか？

答《こた》えは、**634m**です。

当《あ》たりましたか？

当《あ》たった人《ひと》は、スゴい！

多《おお》くの人《ひと》は、634mよりも低《ひく》い数字《すうじ》や、

ものすごく高《たか》い数字《すうじ》を予想《よそう》するでしょう。

このように、あまりに大《おお》きすぎるものに対《たい》して、どれくらいの大《おお》きさかを予想《よそう》するのはむずかしい。

なので、ティラノサウルスのうんこの大《おお》きさを予想《よそう》するのも、むずかしいのです。

さて、幅約《はばやく》15㎝のうんこ、ティラノサウルスにしては大《おお》きすぎるのか、逆《ぎゃく》に小《ちい》さすぎるのか、あるいはちょうどいい大《おお》きさなのか、気《き》になるところですね。

スカイツリーくん 634m
次《つぎ》はティラノサウルスのうんこくん
はーい

＊　36 ページ

10 大型動物《おおがたどうぶつ》は大《おお》きなうんこをするの？②

うんこの大《おお》きさの手《て》がかりとして、**長《なが》さ**と**幅《はば》（太《ふと》さ）**があります。

ただ、うんこが出《で》ている途中《とちゅう》で切《き》れたり、日《ひ》によってうんこが長《なが》かったり、短《みじか》かったりするので、長《なが》さはあまりアテになりません。

でも、同《おな》じオシリの穴《あな》から出《で》ているから、**うんこの太《ふと》さはほとんど同《おな》じ**です。

また、動物《どうぶつ》の大《おお》きさの手《て》がかりには、**体《たい》長《ちょう》**と**体重《たいじゅう》**があります。

しっぽがあるのか、二足歩行《にそくほこう》か四足歩行《よんそくほこう》かなど、動物《どうぶつ》の形《かたち》や姿勢《しせい》やはかる場所《ばしょ》によって、体長《たいちょう》の数字《すうじ》はかわります。

たとえば、ウォンバットのようにずんぐりむっくりした動物《どうぶつ》と、ヘビのように細長《ほそなが》い動《どう》物《ぶつ》では、どちらが大《おお》きいのかを体長《たいちょう》でくらべるのは、むずかしそうです。

でも、体重《たいじゅう》は体重計《たいじゅうけい》に乗《の》れば動物《どうぶつ》の形《かたち》がちがっても、同《おな》じようにはかることができます。

こうなると、**うんこの太《ふと》さと動物《どうぶつ》の体重《たいじゅう》の関係《かんけい》が気《き》になってきませんか？**

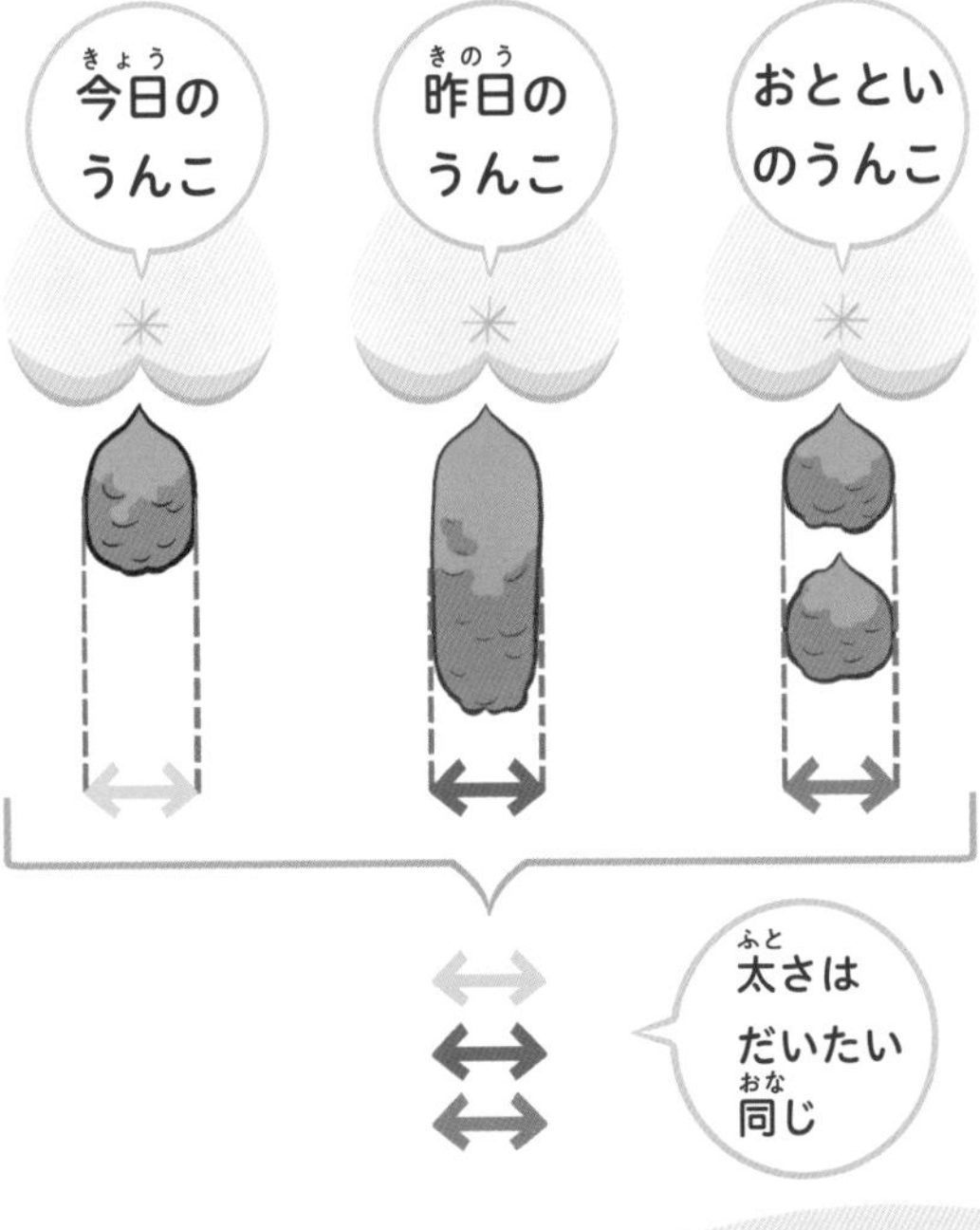
今日《きょう》の
うんこ
昨日《きのう》の
うんこ
おととい
のうんこ
太《ふと》さは
だいたい
同《おな》じ

11

ティラノサウルスの体重《たいじゅう》はどれくらい？

実際《じっさい》に、巨大《きょだい》うんこ化石《かせき》から、ティラノサウルスの体重《たいじゅう》を調《しら》べてみたら※、15㎝の太《ふと》さのうんこ化石《かせき》だと、体重《たいじゅう》は約《やく》3000kg（約《やく》3t《トン》）でした。

アジアゾウと同《おな》じくらいの体重《たいじゅう》です。

ちなみに、アジアゾウのうんこも15㎝くらいの太《ふと》さ。

……?…?…?

ティラノサウルスとゾウが、同《おな》じくらいの重《おも》さ……？

ティラノサウルスはアジアゾウよりも大《おお》きいので、はるかに重《おも》そう。

それに、図鑑《ずかん》などにのっているティラノサウルスの体重《たいじゅう》は、もっと重《おも》たいはず……。

そういえば、巨大《きょだい》うんこ化石《かせき》が見《み》つかった地層《ちそう》に、ティラノサウルスの骨化石《ほねかせき》がありました＊。

恐竜《きょうりゅう》の骨化石《ほねかせき》が見《み》つかったら、主《ぬし》がどれくらいの大《おお》きさなのかは知《し》りたいもの――。

そのため、古生物学者《こせいぶつがくしゃ》たちが、恐竜《きょうりゅう》などの古生物《こせいぶつ》のおおよその体重《たいじゅう》がわかる方法《ほうほう》を、いくつか発明《はつめい》しているので、骨化石《ほねかせき》から古生物《こせいぶつ》の体重《たいじゅう》を知《し》ることができます。

たとえば、恐竜《きょうりゅう》の骨化石《ほねかせき》が全部見《ぜんぶみ》つかっていなくても、太《ふと》ももの骨《ほね》など、体《からだ》の一部《いちぶ》の化石《かせき》があれば、体重《たいじゅう》がわかります。

計算《けいさん》すると、このティラノサウルスの骨化石《ほねかせき》の場合《ばあい》、体重《たいじゅう》は**約《やく》5・5t《トン》**でした。

3t《トン》の約《やく》2倍《ばい》……。

なぜ、こんなにちがうのでしょうか？

※ここでは、ほ乳類《にゅうるい》の体重《たいじゅう》とうんこの太《ふと》さの関係《かんけい》を前《まえ》もって調《しら》べた研究《けんきゅう》をもとにしました。ティラノサウルスは、ほ乳類《にゅうるい》ではなく、は虫類《ちゅうるい》なので、本当《ほんとう》の体重《たいじゅう》の数値《すうち》は多少《たしょう》ズレるかもしれませんが……。

＊　40ページ

12 体重《たいじゅう》が合《あ》わない!?

うんこ化石《かせき》と骨化石《ほねかせき》からティラノサウルスの体重《たいじゅう》を調《しら》べると、約《やく》2倍《ばい》もの差《さ》がありました。

なぜ、こんなに大《おお》きな差《さ》が出《で》てしまったのでしょうか？

考《かんが》えられる可能性《かのうせい》は、2つあります。

❶うんこ化石《かせき》と骨化石《ほねかせき》が、べつべつのティラノサウルスのものの可能性《かのうせい》

もしかすると、うんこ化石《かせき》の主《ぬし》は子《こ》ども、骨化石《ほねかせき》の主《ぬし》はおとなかもしれません。

❷うんこ化石《かせき》が、ティラノサウルスのものではない可能性《かのうせい》

「巨大《きょだい》うんこ化石《かせき》が、ティラノサウルスのうんこにしては小《ちい》さすぎる」と考《かんが》えると、ティラノサウルスほどは大《おお》きくない、べつの種類《しゅるい》の肉食動物《にくしょくどうぶつ》のうんこかもしれません。

残念《ざんねん》ながら、これ以上《いじょう》はほかの科学《かがく》データが出《で》てこないかぎり、わからないまま！

でも、この2つの可能性《かのうせい》から、予言《よげん》できることがあります。

予言《よげん》1　大型《おおがた》の肉食動物《にくしょくどうぶつ》の化石《かせき》が見《み》つかる

ティラノサウルスの子《こ》どもなのか、ティラノサウルス以外《いがい》の動物《どうぶつ》なのかはわかりませんが、この地層《ちそう》にはほかの肉食動物《にくしょくどうぶつ》の化石《かせき》が

まだ眠《ねむ》っているはずです。

予言《よげん》2　もっと大《おお》きなうんこ化石《かせき》が見《み》つかる

幅《はば》15㎝、長《なが》さ45㎝よりも大《おお》きなうんこ化石《かせき》……。

想像《そうぞう》しただけで、ワクワクしますね！（わたしだけ？）

うんこの強《つよ》さを考《かんが》えよう①

13

ティラノサウルスのうんこ化石《かせき》は、太《ふと》さが約《やく》15㎝、長《なが》さが約《やく》45㎝。

つまり、うんこの長《なが》さは**太《ふと》さの3倍《ばい》**です。

でも、ヒト（おとな）のうんこは、幅約《はばやく》2・5㎝、長《なが》さ約《やく》13㎝*1。

つまり、うんこの長《なが》さは、**太《ふと》さの5倍《ばい》**。

なぜ、ティラノサウルスとヒトのうんこは太《ふと》さと長《なが》さの関係《かんけい》がちがうのでしょうか？

「大型動物《おおがたどうぶつ》は大《おお》きなうんこをするの？②」*2では、うんこから体《からだ》の大《おお》きさを計算《けいさん》するときに、うんこの長《なが》さではなく太《ふと》さを使《つか》いました。

理由《りゆう》は、うんこが出《で》ている途中《とちゅう》で切《き》れたり、日《ひ》によってうんこの長《なが》さがちがったりするからでしたね。

うんこの量《りょう》や状態《じょうたい》が日《ひ》によってちがうのは、食《た》

べたものの量《りょう》や消化《しょうか》されるスピードや体調《たいちょう》によるものでしょう。

一方《いっぽう》、うんこが出《で》ている途中《とちゅう》で切《き》れるのは、**うんこの強《つよ》さ**（強度《きょうど》といいます）の問題《もんだい》です。

ちょっと視野《しや》を広《ひろ》げて、うんこの強度《きょうど》とは何《なに》かお話《はな》ししましょう。

＊1　29ページ
＊2　46ページ

うんこの強《つよ》さを考《かんが》えよう②

14

豆腐《とうふ》を指《ゆび》で押《お》すと、どうなりますか？

豆腐《とうふ》に指《ゆび》がささったり、豆腐《とうふ》が崩《くず》れたりしますね。

これは、豆腐《とうふ》の強度《きょうど》が小《ちい》さいからです。

強度《きょうど》とは、ものを引《ひ》っ張《ぱ》ったり、押《お》したりして力《ちから》をかけたとき、どのくらいの力《ちから》でものが壊《こわ》れるかということをあらわしています。

豆腐《とうふ》の強度《きょうど》は小《ちい》さいですが、岩石《がんせき》はどうでしょうか？

指《ゆび》で押《お》しても壊《こわ》れませんね！

でも、投《な》げたり、ハンマーでたたいたり、大《おお》きな力《ちから》をかければ、岩石《がんせき》も割《わ》れてしまいます。

一方《いっぽう》、山《やま》は、巨大《きょだい》な岩石《がんせき》のかたまりと見《み》ることができます。

ハンマーだと割《わ》れちゃう！
指《ゆび》の力《ちから》なんてへっちゃらだよ！

岩石《がんせき》なので強度《きょうど》は大《おお》きいですが、あまりにも巨大《きょだい》な山《やま》に成長《せいちょう》すると、自分《じぶん》の重《おも》さによって、山《やま》の一部《いちぶ》が壊《こわ》れてしまいます。

このように、強度《きょうど》はものによってちがい、かける力《ちから》をどんどん大《おお》きくしていけば、どんなものでもいつかは壊《こわ》れます。**無限《むげん》の強度《きょうど》はない**のです。

15 うんこの強《つよ》さを考《かんが》えよう③

ものによって、強度《きょうど》がちがいましたね。ほかにも、重力《じゅうりょく》がちがえば、かかる力《ちから》もかわります。

たとえば、地球上《ちきゅうじょう》でいちばん高《たか》い山《やま》は何《なん》でしょう？

答《こた》えは、ヒマラヤ山脈《さんみゃく》にある**エベレスト**です。

標高《ひょうこう》は、8848m。

でも、火星《かせい》にはもっともっと高《たか》い山《やま》があります。

エベレストの約《やく》3倍《ばい》、標高《ひょうこう》27000m以《い》上《じょう》の**オリンポス山《さん》**です。

もし、オリンポス山《さん》ほどの山《やま》が地球《ちきゅう》にあったら、どうなるでしょうか？

どちらも岩石《がんせき》なので、強度《きょうど》は似《に》ています。

でも、地球《ちきゅう》と火星《かせい》では重力《じゅうりょく》がちがうのです。

火星《かせい》の重力《じゅうりょく》は、**地球《ちきゅう》の約《やく》3分《ぶん》の1**とかなり小《ちい》さく、重力《じゅうりょく》が小《ちい》さければ、ものにかかる力《ちから》も小《ちい》さくなります。

なので、オリンポス山《さん》は崩《くず》れていません。

もしもオリンポス山《さん》が地球《ちきゅう》にあったら、山《やま》のどこかが崩《くず》れてしまうでしょう。

地球《ちきゅう》でいちばん高《たか》いエベレストがオリンポス山《さん》の約《やく》3分《ぶん》の1の高《たか》さなのは、偶然《ぐうぜん》ではなく、エベレストが地球上《ちきゅうじょう》で存在《そんざい》できるギリギリの高《たか》さだからだと考《かんが》えられます。

さて、うんこの話《はなし》に戻《もど》りましょう。

うんこの強度《きょうど》を調《しら》べた実験《じっけん》は、今《いま》のところありません。

それでも、山《やま》が無限《むげん》に高《たか》くならないように、うんこも無限《むげん》に長《なが》くはなりません。

オシリの穴《あな》から出《で》ているうんこには、自分《じぶん》の重《おも》さによる力《ちから》がかかっています。

なので、うんこが長《なが》くなれば、うんこにかかる力《ちから》も大《おお》きくなります。

強度的《きょうどてき》に問題《もんだい》がなければ、バナナ状《じょう》のうんこが出《で》たはずなのに、うんこの重《おも》さに耐《た》えきれず、途中《とちゅう》でちぎれて落下《らっか》してしまうかも……。

もしかしたら、ティラノサウルスのうんこは、もっと長《なが》かったかもしれませんね。

おいしそうな
えものがいるぞ！

2

うんこはどうやって化石《かせき》になるの？

01 どれくらいのうんこが化石《かせき》として残《のこ》るの？

今度《こんど》は、視点《してん》をかえてみましょう。

人《ひと》は、生《い》きているあいだに、何回《なんかい》うんこをするでしょう？

正解《せいかい》は、**約《やく》3万回《まんかい》**※！

現代《げんだい》はトイレでうんこをするので、そのへんにうんこが転《ころ》がっていませんが、昔《むかし》はトイレがなく、恐竜《きょうりゅう》などの古生物《こせいぶつ》はそのへんでうんこをしていました。

それなのに、**見《み》つかっているうんこ化石《かせき》はそれほど多《おお》くありません。**

古生物《こせいぶつ》のオシリから自然界《しぜんかい》に舞《ま》い降《お》りた生《なま》うんこは、自然界《しぜんかい》の厳《きび》しさを痛感《つうかん》します。

雨風《あめかぜ》でバラバラになったり、水分《すいぶん》が抜《ぬ》けてカピカピになったり、ほかの動物《どうぶつ》に踏《ふ》まれたり、微生物《びせいぶつ》に分解《ぶんかい》されたりして、原形《げんけい》をとどめられないのはもちろん、そもそもうんこの存在《そんざい》すら消《き》えてなくなってしまうのです。

では、どのくらいのうんこが、そんな多《おお》く

の壁《かべ》を乗《の》り越《こ》えて化石《かせき》になるのでしょうか？　百個《ひゃっこ》に1個《こ》（1％）、千個《せんこ》に1個《こ》（0・1％）、あるいは1万個《まんこ》に1個《こ》（0・01％）？　それとも、もっともっと珍《めずら》しい？

残念《ざんねん》ながら、研究《けんきゅう》している人《ひと》がいないので、答《こた》えはだれもわかりません。

それでもうんこ化石《かせき》の研究《けんきゅう》をしている感《かん》じでは、1千万個《せんまんこ》に1個《こ》（0・000001％）よりも、もっともっと少《すく》ないと考《かんが》えています。

ひとこと

もし、うんこが全部《ぜんぶ》、化石《かせき》になっていたら、地球《ちきゅう》の表面《ひょうめん》はうんこ化石《かせき》におおわれていて、わたしたちは、うんこ化石《かせき》の上《うえ》で生活《せいかつ》することになるでしょう。

※1日《にち》に1回《かい》、80歳《さい》まで毎日《まいにち》うんこをしたとすると、365×80で計算《けいさん》することができます。

うんこはごちそう!?

02

どの動物《どうぶつ》もうんこをしますし、うんこは汚《きたな》いものというイメージがあります。

でも、そんな**うんこをごちそうとする動物《どうぶつ》**がいます。

アメリカのモンタナ州《しゅう》にある白亜紀後期《はくあきこうき》の地層《ちそう》から、植物食恐竜《しょくぶつしょくきょうりゅう》マイアサウラのものと思《おも》われるうんこ化石《かせき》が発掘《はっくつ》されました。

うんこ化石《かせき》が発見《はっけん》されただけでも珍《めずら》しいのに、それだけではありません。

なんと**マイアサウラのうんこ化石《かせき》のなかから、ほかの動物《どうぶつ》の巣穴《すあな》の化石《かせき》**が見《み》つかったのです。

マイアサウラがうんこをしたあと、べつの動物《どうぶつ》がうんこのなかに潜《もぐ》りこんだのでしょう。

どのような動物《どうぶつ》が、何《なん》の目的《もくてき》で、うんこのなかに潜《もぐ》ったのか——。

アメリカの古生物学者《こせいぶつがくしゃ》カレン・チンさんは、「昆虫《こんちゅう》がマイアサウラのうんこを食《た》べていたのではないか」といいます。

フンコロガシなど、今生《いまい》きている**糞虫《ふんちゅう》**のほとんどは、草食《そうしょく》のほ乳類《にゅうるい》のうんこを食《た》べています。

でも、白亜紀《はくあき》を生《い》きていた糞虫《ふんちゅう》は、植物《しょくぶつ》食恐竜《しょくきょうりゅう》（は虫類《ちゅうるい》）のうんこを食《た》べていまし

ひとこと

うんこ化石《かせき》から見《み》つかった巣穴《すあな》の化石《かせき》は、糞虫《ふんちゅう》のなかまの進化《しんか》を考《かんが》えるうえでも重要《じゅうよう》な化石《かせき》なのです。

た。

白亜紀《はくあき》の糞虫《ふんちゅう》は、植物食恐竜《しょくぶつしょくきょうりゅう》のうんこが好物《こうぶつ》だったのでしょうか？

恐竜《きょうりゅう》が大繁栄《だいはんえい》していたのは、中生代《ちゅうせいだい》。

このとき、ほ乳類《にゅうるい》もいましたが、種類《しゅるい》も少《すく》なく、恐竜《きょうりゅう》の陰《かげ》に隠《かく》れた目立《めだ》たない存在《そんざい》だったようです。

おそらく白亜紀《はくあき》の糞虫《ふんちゅう》は、植物食恐竜《しょくぶつしょくきょうりゅう》のうんこが好《す》きで食《た》べていたというよりも、そこらへんにあったから、食《た》べていたのかもしれませんね。

03 食《た》べたいうんこと食《た》べたくないうんこ

うんこを食《た》べていたのは、糞虫《ふんちゅう》だけではありません。

千葉県南房総市《ちばけんみなみぼうそうし》にある約《やく》３００万年前《まんねんまえ》の地層《ちそう》から、深海性《しんかいせい》のユムシ類《るい》のうんこ化石《かせき》がたくさん見《み》つかりました。

このユムシ類《るい》のうんこ化石《かせき》には、ときどき小型動物《こがたどうぶつ》に食《た》べられたようなあとがあるのです。

なぜ、**食《た》べられるうんこ**と**食《た》べられないうんこ**があるのでしょう？

気《き》になって、小型動物《こがたどうぶつ》がうんこを食《た》べる条《じょう》件《けん》を数理《すうり》モデルを使《つか》って調《しら》べました。

「小型動物《こがたどうぶつ》の大《おお》きさ」「うんこの大《おお》きさ」「うんこがあった場所《ばしょ》」など、いろいろありそうですね。

調《しら》べた結果《けっか》、重要《じゅうよう》なのは**うんこの大《おお》きさ**でした。

もし、お腹《なか》が空《す》いて、「小《ちい》さなドーナツ1

個《こ》か、大《おお》きなドーナツ1個《こ》を食《た》べてもいいよ」といわれたら、どっちを選《えら》びますか？

きっと、大《おお》きなドーナツでしょう。食《た》べることや消化《しょうか》することにもエネルギーを使《つか》いますが、それでも大《おお》きなドーナツからは多《おお》くのエネルギーをゲットできます。

小型動物《こがたどうぶつ》も同《おな》じです。うんこが小《ちい》さすぎると、せっかくうんこを食《た》べに行《い》ったのに、お腹《なか》がいっぱいにならないので、わりに合《あ》わないのです。

なので、あるていど大《おお》きなうんこを選《えら》んで食《た》べていたのです。

ひとこと

ユムシ類《るい》は、深海底《しんかいてい》の泥《どろ》を食《た》べたあと、米粒《こめつぶ》のような形《かたち》の泥《どろ》のうんこをするよ。

04 うんこくんの大冒険《だいぼうけん》①

ここで、おとぎ話《ばなし》の世界《せかい》にトリップしてみましょうか。

シュイ――――――――ン……

あるとき、陸上動物《りくじょうどうぶつ》のうんこが地上《ちじょう》に舞《ま》い降《お》りました。

その名《な》も、**うんこくん**。

「どこだ、ここは?」と思《おも》っているうちに、小《ちい》さな小《ちい》さな微生物《びせいぶつ》が体《からだ》を分解《ぶんかい》していきます。

あたりを見《み》わたすと、いろんなうんこが息《いき》

絶《た》えているではありませんか。

「ぼくもここで息絶《いきた》えてしまうのか……」と思《おも》っていたら、いつのまにか隣《となり》に知《し》らない子《こ》が——。

「こんにちは」

「こんにちは。わたしはリン。あなたは？」

「ぼくは、うんこ」

「うんこくん、**伝説《でんせつ》のアパタイト**って知《し》ってる？」

「伝説《でんせつ》のアパタイト!?　知《し》らない。はじめて聞《き》いたよ」

「そうなんだ。よかったら一緒《いっしょ》に探《さが》しに行《い》かない？」

「え！　でも、どんどん体《からだ》が分解《ぶんかい》されてて、息絶《いきた》えてしまいそうなんだ」

「きっと大丈夫《だいじょうぶ》。目《め》の前《まえ》の川《かわ》に飛《と》びこもう！」

「え、どうやって？」

「うーん、コロコロ転《ころ》がってみたらどう？」

「できるかなー？」

うんこくんはリンちゃんにいわれるがまま、転《ころ》がって川《かわ》に飛《と》びこみました。

05 うんこくんの大冒険《だいぼうけん》②

水中《すいちゅう》でうんこくんが目《め》を開《あ》けると、目《め》の前《まえ》には、またまた知《し》らない子《こ》が。

「こんにちは、うんこです」

「こんにちは。ぼくはカルシウム」

「こんにちは、わたしはリン」

「わたしは、リンA」

「わたしは、リンB」

知《し》らないうちに、リンちゃんがいっぱいいます！

どうやら水中《すいちゅう》でもうんこくんは分解《ぶんかい》されていて、次々《つぎつぎ》とリンちゃんが生《う》まれているようです。

「みんなは、どこから来《き》たの？」

「ぼくたちは、この上《うえ》から転《ころ》がって来《き》たんだ」

「伝説《でんせつ》のアパタイトを探《さが》しに来《き》たの！」

カルシウムくんと話《はな》しているあいだに、どんどん流《なが》されていきます。

どんぶらこ〜どんぶらこ〜状態《じょうたい》！

うんこくんの体《からだ》は、だんだん削《けず》られていきます。

（どうしよう。ぼく、このままじゃ消《き》えてなくなっちゃう……。）

「うんこくん、大丈夫《だいじょうぶ》？　できるだけ体《からだ》を

小《ちい》さくしてみて！」

うんこくんの不安《ふあん》に気《き》づいたカルシウムくんが、励《はげ》ましてくれました。

できるだけ体《からだ》を小《ちい》さくして、川《かわ》の流《なが》れに耐《た》えるうんこくん――。

そうこうしていると、なんだか口《くち》の周《まわ》りがしょっぱくなってきました。

「あ！　海《うみ》だわ！」

どこからかリンちゃんの声《こえ》がします。

「海《うみ》？」

「そう、海《うみ》。川《かわ》よりも大《おお》きくて広《ひろ》い世界《せかい》。こんなところまで来《き》たのね！」

「え！　大丈夫《だいじょうぶ》なの？」

うんこくんは、とても心配《しんぱい》になりました。伝説《でんせつ》のアパタイトを探《さが》しているうちに、とんでもなく遠《とお》くまで来《き》てしまったようです。

「きっと大丈夫《だいじょうぶ》！　楽《たの》しみましょう！」

リンちゃんは前向《まえむ》きです。

こうして大海原《おおうなばら》に出《で》たうんこくん一行《いっこう》、はたして伝説《でんせつ》のアパタイトを見《み》つけることはできるのでしょうか!?

コラム 3

うんこが化石《かせき》になるにはアパタイトが必須《ひっす》!?

「うんこくんの大冒険《だいぼうけん》」に出《で》てきた**伝説《でんせつ》のアパタイト**とは、いったい何《なん》なのでしょうか？

アパタイトは、宝石《ほうせき》として取引《とりひき》されているものもある鉱物《こうぶつ》で、リン酸塩鉱物《さんえんこうぶつ》という鉱物《こうぶつ》グループに分類《ぶんるい》されます。おもな成分《せいぶん》によって、**リン酸《さん》カルシウム**という化合物《かごうぶつ》の名《な》前《まえ》で呼《よ》ばれることも。

なかには、人間《にんげん》の骨《ほね》や歯《は》をつくっている身近《みぢか》な鉱物《こうぶつ》もあります。

さらに、歯磨《はみが》き粉《こ》やサプリメント、化粧品《けしょうひん》、人工関節《じんこうかんせつ》などにも使《つか》われています。

じつはこのアパタイト、うんこが化石《かせき》になるときに、**とても重要《じゅうよう》な役割《やくわり》**をしているのです。

セキツイ動物《どうぶつ》[*1]から出《で》てきた生《なま》うんこはやわらかいので、ちょっとしたことで原形《げんけい》をとどめられないのはもちろん、消《き》えてなくなってしまいます[*2]。

【うんこの前《まえ》に立《た》ちはだかる壁《かべ》】

- **雨風《あめかぜ》でバラバラになる**
- **水分《すいぶん》が抜《ぬ》けてカピカピになる**
- **ほかの動物《どうぶつ》に踏《ふ》まれる**
- **微生物《びせいぶつ》に分解《ぶんかい》される**　など

そんな化石《かせき》になるための大《おお》きな壁《かべ》を突破《とっぱ》するカギとなるのが、**アパタイト**。

うんこがアパタイトにかわるとかたくなるので、雨風《あめかぜ》に打《う》たれてもバラバラにならなかったり、ほかの動物《どうぶつ》に踏《ふ》まれても形《かたち》がかわらなかったり、微生物《びせいぶつ》による分解《ぶんかい》を抑《おさ》えられたりと、化石《かせき》になる可能性《かのうせい》がとーーーーってーも高《たか》くなるのです！

アパタイトの一例《いちれい》

＊1　92ページ
＊2　11ページ

06

うんこくんの大冒険《だいぼうけん》③

【前回《ぜんかい》までのおさらい】

地上《ちじょう》に舞《ま》い降《お》りた陸上動物《りくじょうどうぶつ》のうんこくん。

リンちゃんとカルシウムくんという心《こころ》強《づよ》いなかまと出会《であ》い、地上《ちじょう》から川《かわ》、気《き》づけば海《うみ》にまでやって来《き》ました。

はたして、伝説《でんせつ》のアパタイトを見《み》つけられるのでしょうか!?

はじめて海《うみ》に来《き》たうんこくんは、物珍《ものめずら》しそうにあたりを見《み》わたしています。

見《み》たことのない動物《どうぶつ》、見《み》たことのない景色《けしき》――。

うんこくんがあっけにとられているあいだに、気《き》がつくと海《うみ》の底《そこ》に着《つ》いていました。

さらに、どんどん体《からだ》が泥《どろ》のなかに埋《う》まっていきます。

リンちゃんとカルシウムくんに助《たす》けを求《もと》めようとしましたが、見当《みあ》たりません。

「こんにちは〜〜〜〜」

急《きゅう》にリンちゃんの声《こえ》が聞《き》こえたと思《おも》ったのに、もう姿《すがた》は見《み》えない……。

なんと、ものすごいスピードであちこちに散《ち》らばっているではありませんか！

カルシウムくんは、リンちゃん以外《いがい》の子《こ》と手《て》をつないで、どこかに行《い》ってしまいました。

どんどんどんどん泥《どろ》のなかに沈《しず》むうんこくん――。

「あーぼくはこのまま泥《どろ》に埋《う》まって、うんこ生《せい》が終《お》わってしまうんだ……」

うんこくんは、途方《とほう》に暮《く》れてしまいました。

07

うんこくんの大冒険《だいぼうけん》④

うんこくんは、すっぽりと泥《どろ》のなかに埋《う》まってしまいました。

あたりは真《ま》っ暗《くら》――。

心細《こころぼそ》いうんこくん。

すると、どこからかリンちゃんとカルシウムくんの声《こえ》が聞《き》こえてきました。

「どうしたの？」

「泥《どろ》のなかに埋《う》まっちゃったんだ」

声《こえ》がしたほうに目《め》を向《む》けると、リンちゃんとカルシウムくんが浮《う》かんできました。

「わたしたちも、泥《どろ》のなかに埋《う》まっちゃったみたい」

「アパタイトを探《さが》しに来《き》たのに、困《こま》っちゃったねー」

「こんなに暗《くら》いととっても怖《こわ》いよ」

「じゃあ、離《はな》ればなれにならないように、みんなで手《て》をつながない？」

「いいね！　これで怖《こわ》くなくなるね！」

「じゃあ、みんな手《て》を出《だ》して！」

リンちゃんのかけ声《ごえ》で、うんこくんが手《て》を伸《の》ばすと何《なに》かに当《あ》たりました。

「あ、だれの手《て》かな？」

「ぼくだよ！」

「わたしも、だれかの手《て》に当《あ》たったわ！」

「これで、みんな手《て》をつなげたかな？」と、カルシウムくんがいった瞬間《しゅんかん》。

ピカーン！

突然《とつぜん》、目《め》の前《まえ》がまぶしくなりました。

「え！　なになに!?」

「まぶしい……」

「何《なに》が起《お》こってるの？」

08 うんこくんの大冒険《だいぼうけん》⑤

いったい、何《なに》が起《お》こったのでしょうか？

うんこくんがおそるおそる目《め》を開《あ》けると、手《て》をつないでいたはずのリンちゃんとカルシウムくんがいません。

「え！　どこに行《い》っちゃったの？」

「うんこくん、ここだよ」

「ぼくもここにいるよ」

リンちゃんとカルシウムくんの声《こえ》は聞《き》こえますが、姿《すがた》は見《み》えません。

「声《こえ》は聞《き》こえるけど、どこにいるの？　ぼく、どうしたらいいの？」

うんこくんは不安《ふあん》で仕方《しかた》ありません。今《いま》にも泣《な》きそうです。

「泣《な》かないで、うんこくん」

「ぼくたちは、きみのなかにいるよ」

「ぼくのなか……？」

「うん、ぼくたち、うんこくんのなかに入《はい》ったみたい！」

何《なに》が何《なん》だかよくわからないでいると、う

んこくんの様子《ようす》が……。

ピロリロリロリン！
テレレレッレッテッテー！
うんこくん、パワーアップ！

なんと、リンちゃんとカルシウムくんと手《て》をつないだことによって、うんこくんがパワーアップしたのです。

09 うんこくんの大冒険《だいぼうけん》6

リンちゃんとカルシウムくんと合体《がったい》したことで、うんこくんの体《からだ》の一部《いちぶ》がアパタイトにかわりました。

「なんか、体《からだ》がかたいなー」

「え、どこどこ？」

「うーん、うでとか、あしとかっていうよりも、なんか体《からだ》のなかのほうかな～」

「え、もしかして……」

「これかな？」

「うん、これだね」

「体《からだ》のなかの一部《いちぶ》がかたくなってるよ！」

「これって、アパタイトじゃない？」

「えーーーーー！　ぼくがアパタイトになったってこと？」

「うん！　びっくりだけど、そうみたい！」

「なんだかぼくの体《からだ》じゃないみたい！」

「これで体《からだ》がバラバラにならないし、微生《びせい》物《ぶつ》に分解《ぶんかい》されることもないんじゃない？」

「たしかに、長生《ながい》きできそう！」

「これからもずっと一緒《いっしょ》にいようね！」

「うん！」

こうして、うんこくんとリンちゃんは無事《ぶじ》

にアパタイトに出会《であ》えたのでした。
超《ちょう》かたい体《からだ》を手《て》に入《い》れたうんこくんたちは、
なかよく泥《どろ》のなかで暮《く》らしたとさ。
めでたしめでたし。

時《とき》は経《た》ち、20××年《ねん》――。

カン、カン、カン、カン。

カツン！

「ん？　何《なに》かに当《あ》たったみたいだ」

「アンモナイトかな？　それとも何《なに》かの骨《ほね》化《か》石《せき》かな？」

掘《ほ》り起《お》こしてみると……。

「大《おお》きいぞ！」

いまだ見《み》つかっていない**超特大《ちょうとくだい》のティラノサウルスのうんこ化石《かせき》**だったとか。

（おしまい）

10 うんこが化石《かせき》になる3ステップ①

「うんこくんの大冒険《だいぼうけん》」で、うんこくんがリンちゃんとカルシウムくんと手《て》をつなぐと、体《からだ》の一部《いちぶ》がアパタイトにかわりました。

さらに、泥《どろ》のなかに埋《う》まって、化石《かせき》になることができましたね。

うんこが化石《かせき》になるためには、3つのステップがあるようです。

ステップ1．セキツイ動物《どうぶつ》がうんこをする

ステップ2．うんこがアパタイトなどの鉱物《こうぶつ》にかわる

ステップ3．地層《ちそう》のなかで保存《ほぞん》される

ティラノサウルスのうんこ化石《かせき》[*1]もそうですが、セキツイ動物《どうぶつ》の生《なま》うんこが、そのまま化石《かせき》になるわけではありません。

もちろん、鉱物《こうぶつ》のうんこがオシリの穴《あな》から出《で》てくるわけでもありません。

うんこが化石《かせき》になるには、アパタイトなどの鉱物《こうぶつ》にかわる必要《ひつよう》があります。

アパタイトは、**リン酸《さん》カルシウムという化《か》合物《ごうぶつ》**でしたね＊2。

リン酸《さん》カルシウムは、おもにリンとカルシウムから構成《こうせい》され、それらが化学反応《かがくはんのう》を起《お》こしてできるものです。

そう！ **リンちゃんと、カルシウムくん！**

生《なま》うんこが分解《ぶんかい》されたときに出《で》てくるリンと、周《まわ》りにあるカルシウムがどうにか出会《であ》って、化学反応《かがくはんのう》を起《お》こしたら、生《なま》うんこがアパタイトにかわるのです。

ただ、カルシウムは空気中《くうきちゅう》には、ほとんどありません。

いったい、どこにあるのでしょうか？

ステップ1

ステップ2

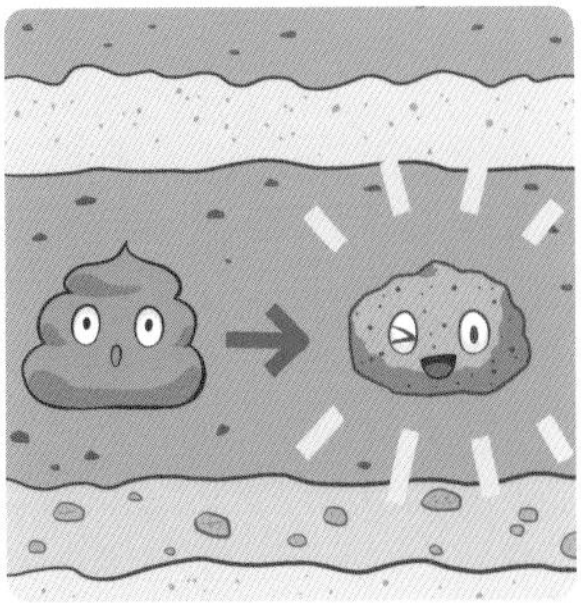

ステップ3

＊1 28ページ
＊2 70ページ

11

うんこが化石《かせき》になる3ステップ②

リンちゃんとカルシウムくんは、どこで手《て》をつなぎましたか？

そう、**海底《かいてい》の泥《どろ》のなか**でしたね！

つまり、ティラノサウルスなど、陸上動物《りくじょうどうぶつ》のうんこが化石《かせき》になるためには、なんらかの方法《ほうほう》で川《かわ》や湖《みずうみ》、海《うみ》などの**水中《すいちゅう》に移動《いどう》しなければならない**のです。

雨風《あめかぜ》でバラバラにならないように、ほかの動物《どうぶつ》に踏《ふ》まれないように、糞虫《ふんちゅう》に食《た》べられないように、微生物《びせいぶつ》に分解《ぶんかい》されないように、そして水中《すいちゅう》への移動《いどう》、泥《どろ》に埋《う》まる……。

まるで**いばらの道《みち》**――。

こうして、さまざまな壁《かべ》を乗《の》り越《こ》えたうんこだけが、化《か》石《せき》になれるのです！

だから0・00001％*よりも、もっともっと少《すく》ないうんこしか化石《かせき》になれないのでしょう。

そんなうんこ、すぐに化石《かせき》になるのでしょうか？

それとも、何《なん》か月《げつ》も、何年《なんねん》もかかって化石《かせき》になるのでしょうか？

やったー！
ギャーッ
ビュオオオ
ベチャッ
ゴール

ひとこと

とくに肉食《にくしょく》のセキツイ動物《どうぶつ》の場合《ばあい》、多《おお》くのうんこはアパタイトにかわって化石《かせき》になるよ！

ほかにも、カルサイトなど、べつの鉱物《こうぶつ》にかわって化石《かせき》になったうんこもあるんだ！

＊　60ページ

12

どれくらいで化石《かせき》になるの？①

うんこが化石《かせき》になるには、どれくらいの時《じ》間《かん》がかかるのでしょうか？

すごく長《なが》い時間《じかん》だと思《おも》いませんか？

うんこ化石《かせき》が埋《う》まっている地層《ちそう》に注目《ちゅうもく》すると、おおよその時間《じかん》を調《しら》べることができるかもしれません。

地層《ちそう》の断面《だんめん》には、ときどき**しま模様《もよう》**が見《み》られます。

これは、地面《じめん》に積《つ》もっている堆積物《たいせきぶつ》（砂《すな》や泥《どろ》など）は、ものによって色《いろ》や性質《せいしつ》がちがうから。

長《なが》い時間《じかん》が経《た》ってさまざまな種類《しゅるい》の堆積物《たいせきぶつ》が積《つ》み重《かさ》なると、地層《ちそう》にしま模様《もよう》があらわれるのです。

うんこ化石《かせき》と地層《ちそう》のしま模様《もよう》

うんこ化石《かせき》が発見《はっけん》された地層《ちそう》のしま模様《もよう》をよーく観察《かんさつ》してみると、うんこ化石《かせき》にそってぐねっと曲《ま》がっていることがあります。

なぜでしょうか？

それは、**堆積物《たいせきぶつ》よりも先《さき》にうんこがかたくなったから！**

13

どれくらいで化石《かせき》になるの？②

あれ？　地面《じめん》ってやわらかかったっけ？

普段《ふだん》、歩《ある》く道《みち》や運動場《うんどうじょう》は沈《しず》むこともなければ、へこむこともありません。

でも、砂場《すなば》やぬかるみ、泥《どろ》など、堆積物《たいせきぶつ》によってはやわらかいところもあります。

ここで思《おも》い出《だ》してみましょう！

うんこが化石《かせき》になりやすいのは、海底《かいてい》の堆《たい》積物《せきぶつ》のなかでしたね。

波打《なみう》ち際《ぎわ》を歩《ある》くと足《あし》あとがつきますし、水《すい》中《ちゅう》では砂《すな》を手《て》でガバッとつかむこともできるので、やわらかいことが多《おお》いようです。

やわらかい堆積物《たいせきぶつ》と、やわらかいうんこ。

今《いま》、はっきりといえるのは、堆積物《たいせきぶつ》がかた

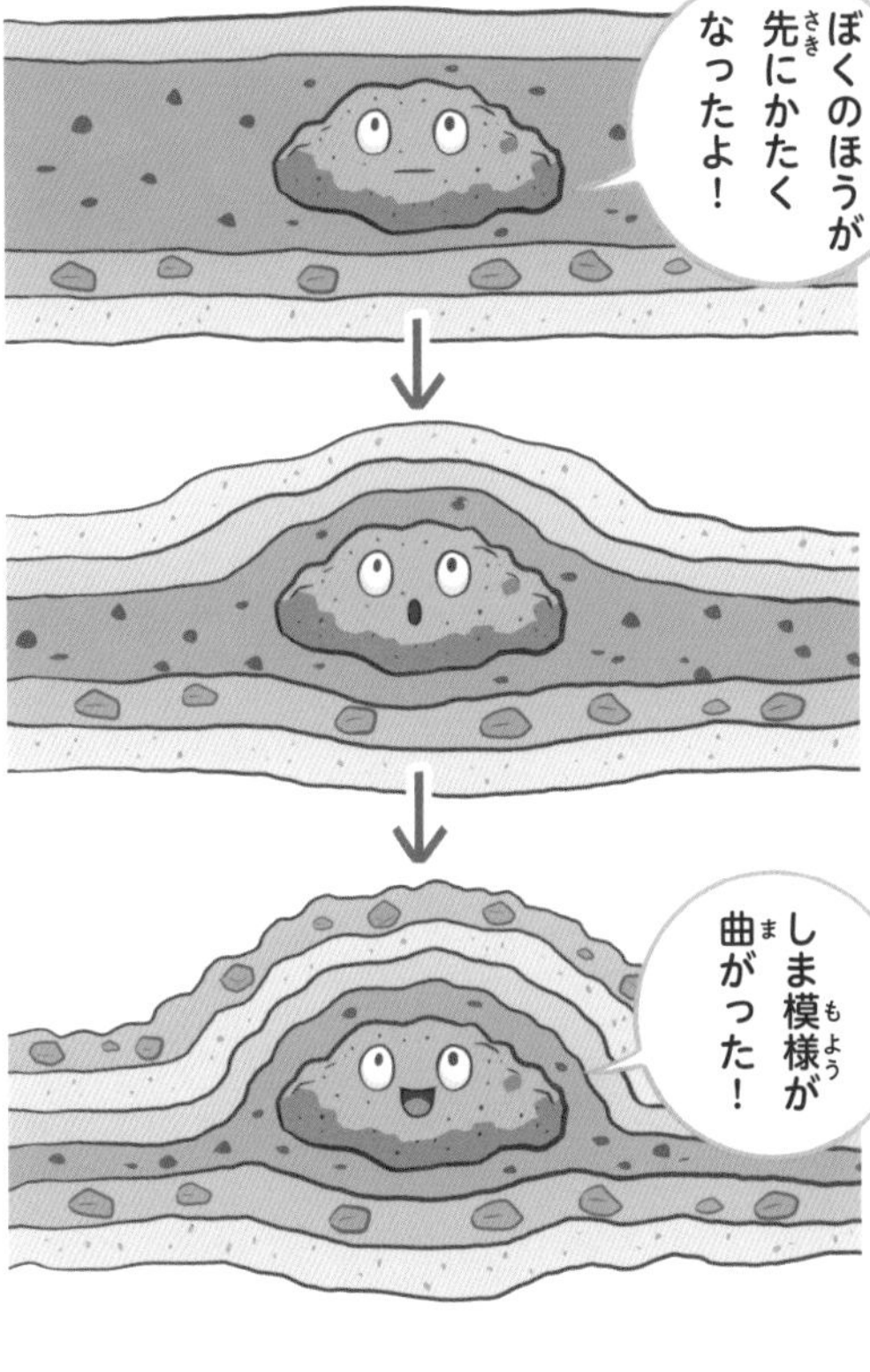
ぼくのほうが
先《さき》にかたく
なったよ！
しま模様《もよう》が
曲《ま》がった！

まって地層《ちそう》になるのにかかる時間《じかん》より、うんこが化石《かせき》になるほうが早《はや》いということだけなのです。

14 どれくらいで化石《かせき》になるの？③

化石《かせき》になる時間《じかん》について、もっと何年《なんねん》とか、何《なん》か月《げつ》とか、何日《なんにち》とかがわかればいいのに……。

残念《ざんねん》ながら、うんこが化石《かせき》になるまでを観《かん》察《さつ》した実験《じっけん》は今《いま》のところありません。

ただ、うんこ以外《いがい》にも、化石《かせき》になりにくいものがあります。

それは、**筋肉《きんにく》**や**内臓《ないぞう》**です。

筋肉《きんにく》や内臓《ないぞう》はうんこと同《おな》じで、微生物《びせいぶつ》がすぐに分解《ぶんかい》してしまいます。

それでも、ごくまれに筋肉《きんにく》や内臓《ないぞう》の化石《かじき》が見《み》つかります。

えものの筋肉組織《きんにくそしき》が残《のこ》っている超巨大《ちょうきょだい》うんこ化石《かせき》、カエルや三葉虫《さんようちゅう》の内臓化石《ないぞうかせき》も見《み》つかっています。

筋肉《きんにく》や内臓《ないぞう》もうんこと同《おな》じで、アパタイトにかわって、化石《かせき》になっているのです。

さらに、筋肉《きんにく》や内臓《ないぞう》がアパタイトにかわる条件《じょうけん》を調《しら》べた人《ひと》たちがいます。

デレグ・ブリッグスさんたちです。

ブリッグスさんたちは約《やく》2か月間《げつかん》、海水《かいすい》と堆積物《たいせきぶつ》を入《い》れた実験用《じっけんよう》の容器《ようき》のなかでエビの死骸《しがい》が腐《くさ》っていく様子《ようす》を観察《かんさつ》しました。

想像《そうぞう》するだけで、プンプン臭《にお》ってきそうな大変《たいへん》な実験《じっけん》！

実験《じっけん》を進《すす》めていると、一部《いちぶ》ですが、アパタイトができました。

しかも、実験《じっけん》をはじめてから早《はや》いもので、たった**2週間《しゅうかん》**！

驚《おどろ》くべき結果《けっか》です！

三葉虫《さんようちゅう》の消化管《しょうかかん》（内臓《ないぞう》）の化石《かせき》（Lerosey-Aubril博士《はかせ》）

コラム 4

うんこのなかから珍《めずら》しいものが見《み》つかった！

カナダのアルバータ州《しゅう》で見《み》つかった、長《なが》さ約《やく》60㎝の超巨大《ちょうきょだい》うんこ化石《かせき》＊1。

驚《おどろ》くべきは、大《おお》きさだけではありません！うんこ化石《かせき》のなかを調《しら》べると、えもののものと思《おも》われる筋肉組織《きんにくそしき》が見《み》つかったのです。「推理《すいり》ゲーム」＊2に出《で》てきたうんこ化石《かせき》からは、骨《ほね》の破片《はへん》（証拠《しょうこ》③）が見《み》つかりましたね。

ティラノサウルスの太《ふと》ももの骨《ほね》などが見《み》つかっているように、骨《ほね》は化石《かせき》になりやすいので、珍《めずら》しくないのです。

でも、**筋肉組織《きんにくそしき》はちがいます。**

筋肉組織《きんにくそしき》はうんこと同《おな》じで、微生物《びせいぶつ》によって分解《ぶんかい》されやすい——。

なので、うんこだけでなく、筋肉組織《きんにくそしき》もア

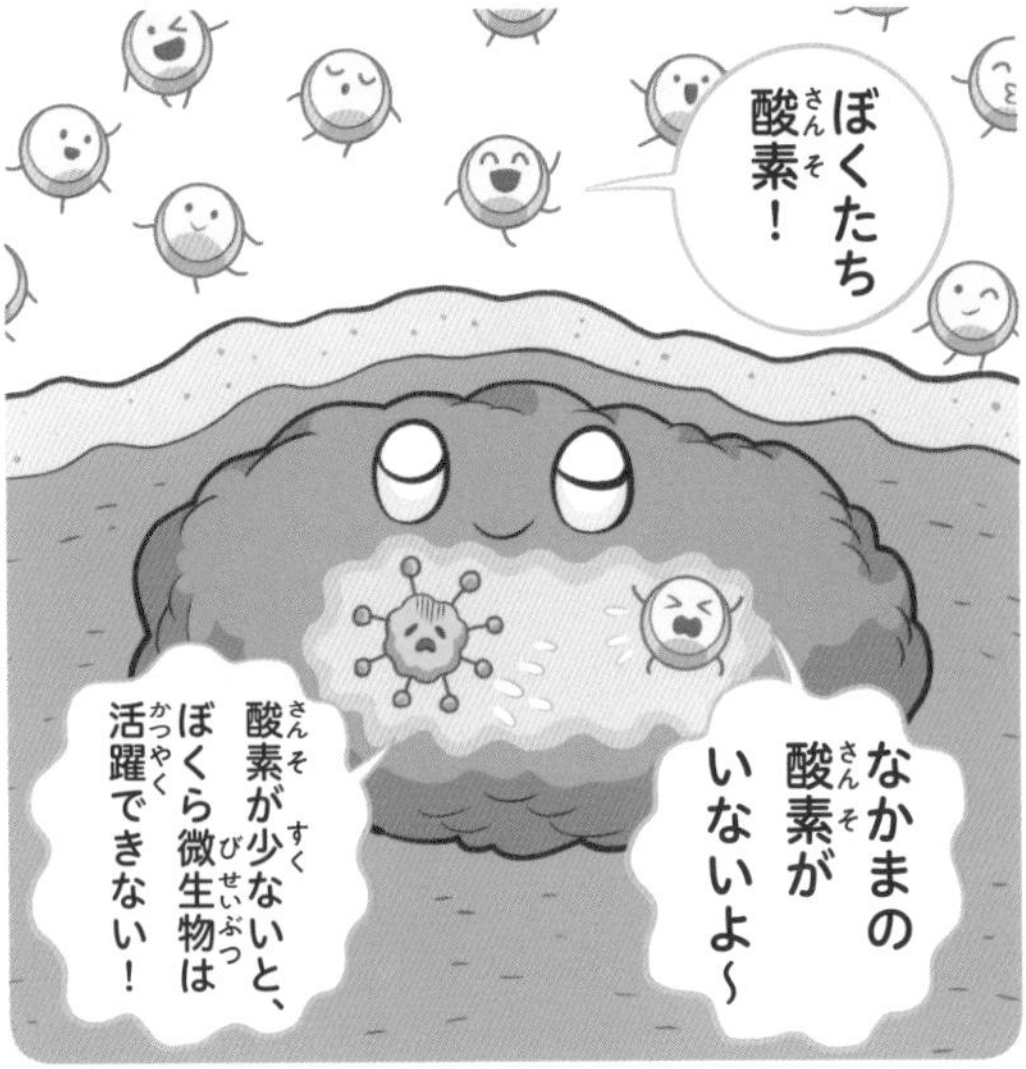

パタイトにかわらなければ、化石《かせき》として残《のこ》ることはないのです。

では、どうして、うんこ化石《かせき》のなかの筋肉《きんにく》組織《そしき》は残《のこ》ったのでしょうか？

わたしたちの身《み》の回《まわ》りには、空気中《くうきちゅう》にも、水中《すいちゅう》にも、たくさん酸素《さんそ》があります。微生物《びせいぶつ》は酸素《さんそ》を使《つか》って、うんこや筋肉組織《きんにくそしき》を分解《ぶんかい》するので、酸素《さんそ》が少《すく》ない環境《かんきょう》であれば、微生物《びせいぶつ》による分解《ぶんかい》が抑《おさ》えられるでしょう。

もしかしたら、超巨大《ちょうきょだい》うんこ化石《かせき》のなかは、酸欠状態《さんけつじょうたい》だったのかもしれません。

うんこのなかは、外《そと》から隔離《かくり》された**閉鎖空《へいさくう》間《かん》**——。

超巨大《ちょうきょだい》うんこのなかに残《のこ》っていた、えものの筋肉組織《きんにくそしき》が原形《げんけい》をとどめているうちに、うんこ自体《じたい》がアパタイトにかわって、化石《かせき》になったのかもしれませんね。

＊1　28ページ
＊2　38ページ

動物《どうぶつ》のうんこはみんな同《おな》じ!?

15

動物《どうぶつ》のうんこは、みんな同《おな》じですか？
ちがいますか？

答《こた》えは、**ちがう**。

では、どのようにちがうのでしょうか？

動物《どうぶつ》には、**セキツイ動物《どうぶつ》**（背骨《せぼね》がある動《どう》物《ぶつ》）と**無《む》セキツイ動物《どうぶつ》**（背骨《せぼね》がない動物《どうぶつ》）がいます。

ほ乳類《にゅうるい》
両生類《りょうせいるい》
鳥類《ちょうるい》
は虫類《ちゅうるい》
魚類《ぎょるい》
甲殻類《こうかくるい》
多毛類《たもうるい》
貝類《かいるい》
昆虫類《こんちゅうるい》
頭足類《とうそくるい》
クモ類《るい》
多足類《たそくるい》

・セキツイ動物《どうぶつ》……ほ乳類《にゅうるい》、両生類《りょうせいるい》、は虫類《ちゅうるい》、魚類《ぎょるい》、鳥類《ちょうるい》

・無《む》セキツイ動物《どうぶつ》……甲殻類《こうかくるい》（エビやカニなど）、昆虫類《こんちゅうるい》、クモ類《るい》、貝類《かいるい》、頭足類《とうそくるい》（イカやタコ）、多足類《たそくるい》、多毛類《たもうるい》（ゴカイなど）

など

さらに、ほ乳類《にゅうるい》は、反芻動物《はんすうどうぶつ》と非反芻動物《ひはんすうどうぶつ》に分《わ》けることができます。

反芻動物《はんすうどうぶつ》は、胃《い》が４つあるので、効率的《こうりつてき》に食《た》べたものを消化《しょうか》します。

ヤギやヒツジ、キリンなどが、反芻動物《はんすうどうぶつ》です。

牧場《ぼくじょう》や動物園《どうぶつえん》のヤギやヒツジがいるところで、足元《あしもと》を見《み》ると、かれらのうんこがたくさん落《お》ちています。

体《からだ》の大《おお》きさのわりに小《ちい》さくて、コロコロしていますよね。

非反芻動物《ひはんすうどうぶつ》には、ヒトやイヌ、ゾウなどがいて、胃《い》は１つしかありません。

よく目《め》にするわたしたちヒトのうんこは、バナナ状《じょう》ですね。

このように、ほ乳類《にゅうるい》であっても、反芻動物《はんすうどうぶつ》か、非反芻動物《ひはんすうどうぶつ》かで、うんこがちがうのです。

魚《さかな》のうんこは細長《ほそなが》く、鳥《とり》のうんこは固形《こけい》じゃなかったりすることからもわかるように、動物《どうぶつ》のうんこはいろいろなのです。

16 ゴカイのうんこ

セキツイ動物《どうぶつ》という同《おな》じグループの動物《どうぶつ》でも、うんこは全然《ぜんぜん》ちがいました。

カニやクモ、タコなどの無《む》セキツイ動物《どうぶつ》となると、どうなってしまうのでしょうか？ 無《む》セキツイ動物《どうぶつ》のうんこも、細長《ほそなが》いものやつぶつぶのものなど、さまざまです。

とくに多毛類《たもうるい》のゴカイなど、いわゆる**ウネウネ系《けい》の動物《どうぶつ》**のうんこは、なんと**砂《すな》や泥《どろ》でできていることがあります**！

かれらは、砂《すな》や泥《どろ》ごと体内《たいない》に取《と》りこんで、砂《すな》や泥《どろ》の表面《ひょうめん》にくっついた微生物《びせいぶつ》などを食《た》べます。

だから、ゴカイは砂《すな》や泥《どろ》ごと食《た》べて、必要《ひつよう》なものだけ吸収《きゅうしゅう》し、いらなくなった**砂《すな》や泥《どろ》をうんことして出《だ》す**のです。

もちろん、水《みず》の流《なが》れやほかの動物《どうぶつ》によって、うんこの形《かたち》が崩《くず》されることはありますが、砂《すな》や泥《どろ》の実体《じったい》は鉱物《こうぶつ》なので分解《ぶんかい》されません。

つまり、**砂《すな》や泥《どろ》でできているうんこは化石《かせき》になりやすい**のです。

実際《じっさい》に、ゴカイなどのウネウネ系《けい》の動物《どうぶつ》のうんこ化石《かせき》は、世界各地《せかいかくち》でたくさん見《み》つかっています。

セキツイ動物《どうぶつ》のうんこは、アパタイトやカ

ルサイトなどの鉱物《こうぶつ》にかわって、化石《かせき》になりましたね*。

でも、ウネウネ系《けい》の動物《どうぶつ》のうんこは、もとから鉱物《こうぶつ》のかたまりなので、セキツイ動物《どうぶつ》の生《なま》うんこのように、アパタイトにかわる必要《ひつよう》がないのです。

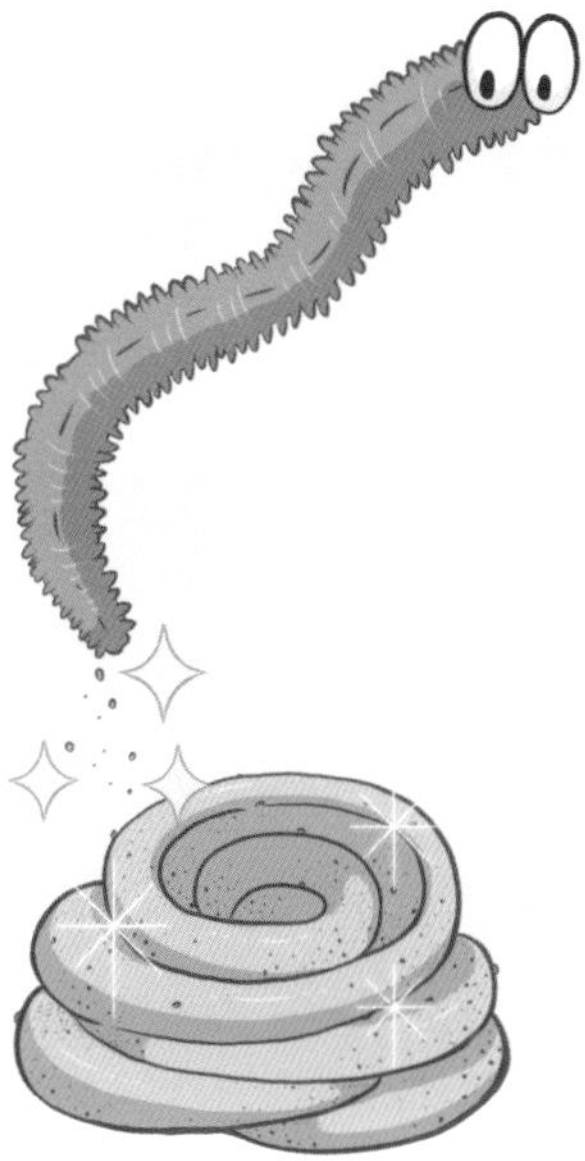

ひとこと

海《うみ》で砂《すな》ダンゴが集《あつ》まったようなかたまりや、モンブランのような形《かたち》の砂《すな》のかたまりを見《み》つけたら、砂《すな》や泥《どろ》ごと食《た》べるウネウネ系《けい》の動物《どうぶつ》のうんこです！
ぜひ、探《さが》してみてください。

＊　83ページ

ほかにもあるよ！ 化石《かせき》になりやすいうんこ 17

ウネウネ系《けい》の動物《どうぶつ》のうんこ以外《いがい》にも、**化石《かせき》になりやすいうんこの特徴《とくちょう》**はあるのでしょうか？

セキツイ動物《どうぶつ》のうんこが化石《かせき》になるには、アパタイトなどの鉱物《こうぶつ》にかわる必要《ひつよう》がありました[*1]。

アパタイトは、リンとカルシウムの化合物《かごうぶつ》です。

リンとカルシウム――。

化石《かせき》になりやすいうんこのヒントになりそうです。

カルシウムは、陸上《りくじょう》よりも水中《すいちゅう》に多《おお》く存在《そんざい》しましたね[*2]。

つまり、陸上動物《りくじょうどうぶつ》のうんこよりも、海《うみ》の動物《どうぶつ》のうんこのほうが、化石《かせき》になりやすいでしょう。

でも、陸上動物《りくじょうどうぶつ》でセキツイ動物《どうぶつ》でもあるティラノサウルスのうんこ化石《かせき》が発見《はっけん》されています。

陸上動物《りくじょうどうぶつ》のうんこも、セキツイ動物《どうぶつ》のうんこも、化石《かせき》になりにくそうなのに……。

なぜなのでしょうか？

おそらく、**リン**が関係《かんけい》しているのではないかと考《かんが》えられます。

骨《ほね》や肉《にく》には、リンがたくさん含《ふく》まれています。

つまり、リンを多《おお》く含《ふく》む骨《ほね》や肉《にく》を食《た》べる肉《にく》食動物《しょくどうぶつ》のうんこは、草食動物《そうしょくどうぶつ》のうんこよりも化石《かせき》になりやすいのかもしれません。

ただそれでも、植物食恐竜《しょくぶつしょくきょうりゅう》マイアサウラのうんこ化石《かせき》も発掘《はっくつ》されているのです＊3。

まだまだわからないことが多《おお》いからこそ、うんこ化石《かせき》は、研究《けんきゅう》しがいがありますね！

＊1 80ページ
＊2 82ページ
＊3 62ページ

よく食《た》べると
よく出《で》るね！

3

うんこ化石《かせき》から何《なに》がわかるの？

うんこから何《なに》がわかる？

01

うんこは、**情報《じょうほう》の宝庫《ほうこ》**です。

うんこの形《かたち》や大《おお》きさから**動物《どうぶつ》の種類《しゅるい》**が大《おお》まかにわかったり、うんこのなかに残《のこ》っているものから**どんな物《もの》を食《た》べていた**のかもわかります。

さらに、うんこは**健康状態《けんこうじょうたい》のバロメータ**でもあるんです。

たとえば、まだうまくしゃべれない赤《あか》ちゃんの健康状態《けんこうじょうたい》を知《し》るには、うんこの観察《かんさつ》がとっても重要《じゅうよう》です。

動物《どうぶつ》のうんこも同《おな》じ。

うんこを観察《かんさつ》することで、体《からだ》の状態《じょうたい》を知《し》ることができるのです。

だったら、**うんこ化石《かせき》だって、化石《かせき》になる前《まえ》はうんこ。**うんこからわかることはすべて、うんこ化石《かせき》からもわかる気《き》がします。

では、うんこ化石《かせき》は、どうでしょうか？

じつは、**うんこが化石《かせき》になると、わかることがすごく減《へ》ってしまいます。**

生《なま》うんこが鉱物《こうぶつ》にかわるとき、生《なま》うんこがもっていた情報《じょうほう》の一部《いちぶ》、いや、おそらくほぼ全部《ぜんぶ》が残念《ざんねん》ながら失《うしな》われてしまうのです。

出《で》てから1分後《ぷんご》のうんこと、1年後《ねんご》のカピカピうんこと、1万年後《まんねんご》のうんこ化石《かせき》と、1

億年後《おくねんご》のうんこ化石《かせき》とでは、情報《じょうほう》の量《りょう》が全然《ぜんぜん》ちがいます。

それでも、うんこ化石《かせき》の主《ぬし》が食《た》べていたものや、地球環境《ちきゅうかんきょう》の変化《へんか》など、**うんこ化石《かせき》からわかることはあるのです。**

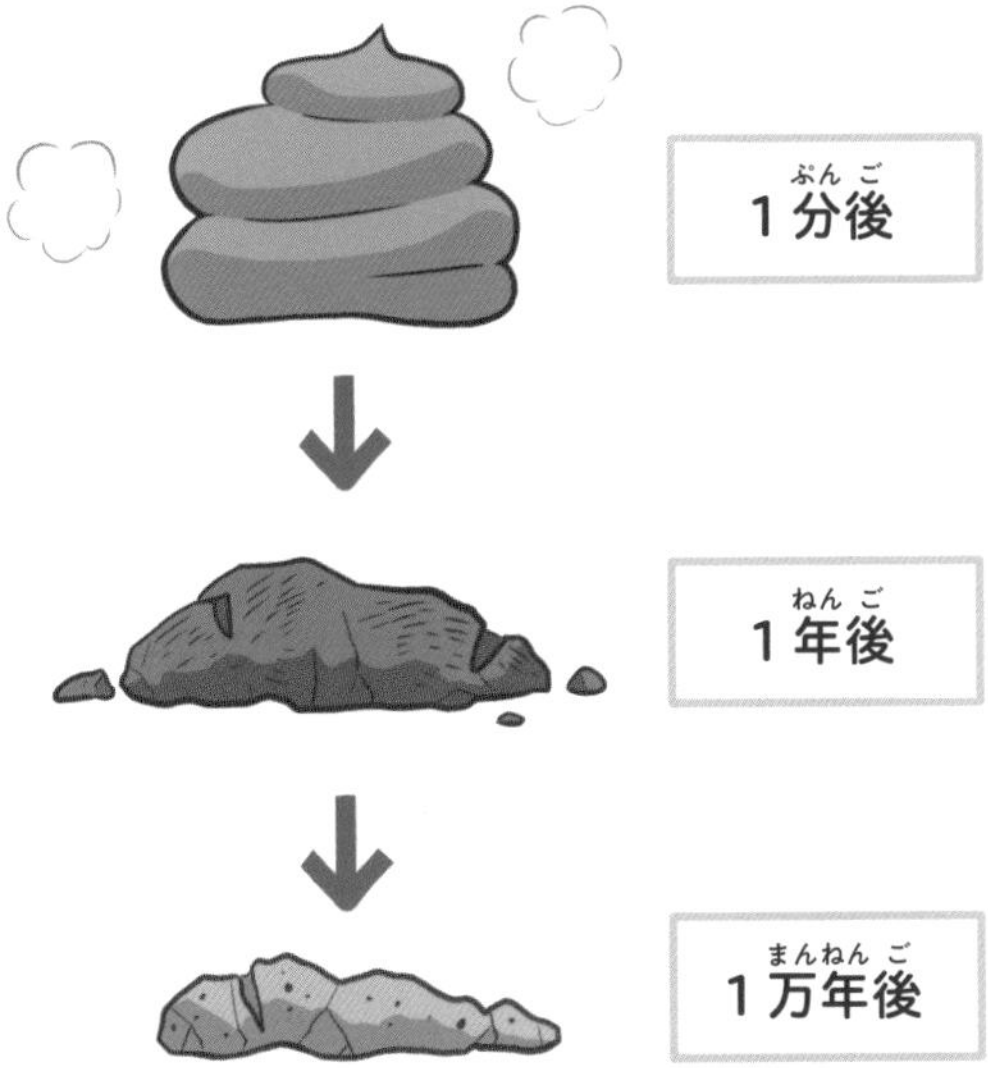

うんこ化石《かせき》から食《た》べたものがわかる？ 02

今朝《けさ》、賢太郎《けんたろう》くんはうんこをしました。

出《で》てきたうんこをよーく見《み》てみると、コーンとエノキ、トマトの皮《かわ》があります。

さて、ここで問題《もんだい》です！

昨日《きのう》、賢太郎《けんたろう》くんは何《なに》を食《た》べたでしょうか？

コーンとエノキ、トマトは、食《た》べたでしょう。

ほかには、何《なに》を食《た》べたかわかりますか？

ちょっと汚《きたな》いですが、うんこをわりばしでほじくってみました。

でも、コーンとエノキ、トマト以外《いがい》には何《なに》も見《み》つかりません。

これでは、ほかに何《なに》を食《た》べたかはわかりませんね。

昨日《きのう》、賢太郎《けんたろう》くんは、トマトの煮《に》こみハンバーグとコーンサラダとごはんとエノキのおみそ汁《しる》を食《た》べました。

でも、うんこに残《のこ》っていたのは、消化《しょうか》されにくいコーンとエノキとトマトの皮《かわ》だけ。

うんこには**バイ菌《きん》**も多《おお》いので、絶対《ぜったい》に素手《すで》で触《さわ》らないでくださいね。
じっくり見《み》るだけでも、いろいろと発見《はっけん》があるかもしれませんよ！

ひとこと

うんこ化石《かせき》も同《おな》じです。

うんこ化石《かせき》にも、たまに何《なに》かが残《のこ》っています。

化石《かせき》のなかに残《のこ》っているものがあれば、うんこ化石《かせき》の主《ぬし》が何《なに》を食《た》べていたのかがわかります。

でも、それが**主食《しゅしょく》だったかどうかは謎《なぞ》のまま――**。

うんこをしたら、ぜひじっくり見《み》てみてください。

うんこ化石《かせき》から環境《かんきょう》の変化《へんか》がわかる!?

03

ほかにも、同《おな》じ種類《しゅるい》のうんこ化石《かせき》のサイズをはかって年代順《ねんだいじゅん》に並《なら》べると、おもしろいことがわかります。

同《おな》じ種類《しゅるい》の動物《どうぶつ》のうんこ化石《かせき》だと、サイズはだいたい同《おな》じくらいでしょう。

でも、時代《じだい》によって**ときどき大《おお》きくなったり、小《ちい》さくなったりすることもある**のです。

うんこ化石《かせき》のサイズは、うんこを出《だ》した主《ぬし》のおおよそのサイズを反映《はんえい》しているので、うんこ化石《かせき》のサイズが小《ちい》さければ主《ぬし》のサイズも小《ちい》さく、うんこ化石《かせき》のサイズが大《おお》きければ主《ぬし》のサイズも大《おお》きくなります。

主《ぬし》のサイズがかわったということは、その時代《じだい》に、なんらかの**大規模《だいきぼ》な環境《かんきょう》の変化《へんか》が起《お》こった**可能性《かのうせい》が高《たか》そうですね。

では、うんこ化石《かせき》の主《ぬし》のサイズに影響《えいきょう》する環境《かんきょう》の変化《へんか》とは、いったいどのようなものなのでしょうか?

代表的《だいひょうてき》なのは、**食《た》べ物《もの》の量《りょう》や酸素《さんそ》の量《りょう》の変化《へんか》**です。

食《た》べ物《もの》が多《おお》いとたくさん食《た》べられるので体《からだ》が大《おお》きくなり、うんこも大《おお》きくなります。逆《ぎゃく》に、食《た》べ物《もの》の量《りょう》が少《すく》ないと、主《ぬし》のサイズは小《ちい》さくなります。

こうして、全体的《ぜんたいてき》に動物《どうぶつ》のサイズが小《ちい》さくなってしまうと、残《のこ》されたうんこ化石《かせき》は、小《ちい》さいものばかりになってしまうのです。

ひとこと

化石《かせき》や地層《ちそう》を調《しら》べると、過去《かこ》の気温《きおん》や、海水温《かいすいおん》、大気中《たいきちゅう》の二酸化炭素《にさんかたんそ》の量《りょう》など、さまざまなことがわかりますよ。

酸素《さんそ》の量《りょう》によって主《ぬし》のサイズがかわる①

04

うんこ化石《かせき》の主《ぬし》のサイズに影響《えいきょう》するものに、酸素《さんそ》の量《りょう》もありました。

富士山《ふじさん》の山頂《さんちょう》や満員電車《まんいんでんしゃ》など、酸素《さんそ》が薄《うす》い（酸素《さんそ》の量《りょう》が少《すく》ない）ところでは、呼吸《こきゅう》がしにくくなります。

このように、酸素《さんそ》の量《りょう》が少《すく》ない環境《かんきょう》では動物《どうぶつ》の活動《かつどう》に支障《ししょう》が出《で》てしまいます。

もし、何《なに》かしらが原因《げんいん》で、身《み》の回《まわ》りの酸素《さんそ》がすごく減《へ》ってしまったら、たくさんの酸素《さんそ》を必要《ひつよう》とする大型《おおがた》の動物《どうぶつ》や活動的《かつどうてき》な動物《どうぶつ》には、深刻《しんこく》な影響《えいきょう》がありそうです。

しかし、小型《こがた》の動物《どうぶつ》や動《うご》きの少《すく》ない省《しょう》エネな動物《どうぶつ》は、何《なん》とかやりすごすことができるかもしれません。

つまり、**酸素《さんそ》の量《りょう》が少《すく》ない環境《かんきょう》では、**平均《へいきん》

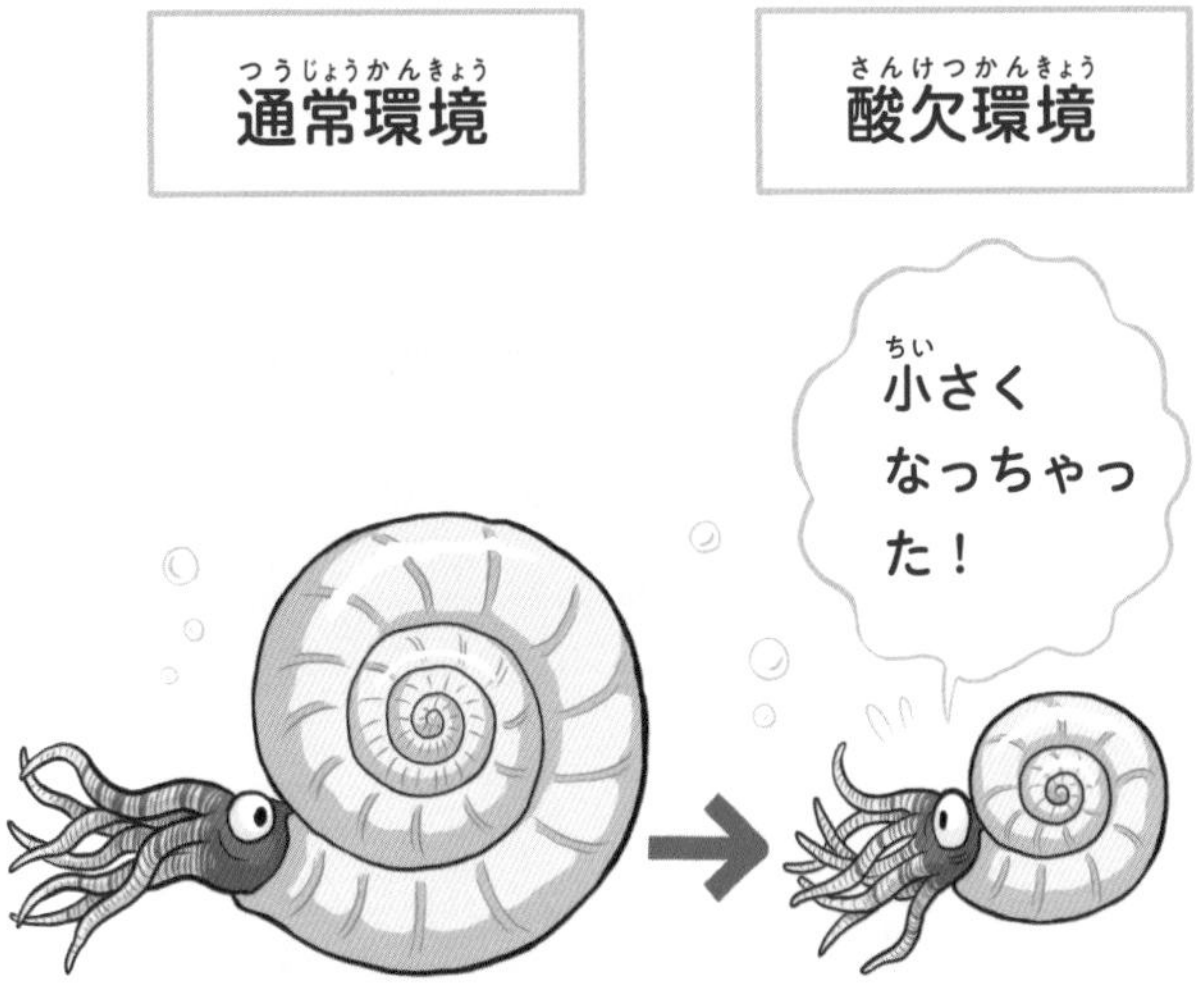

的《てき》には動物《どうぶつ》のサイズが小《ちい》さくなってしまうと考《かんが》えられるのです。

食《た》べ物《もの》の場合《ばあい》と同《おな》じで、酸素《さんそ》の量《りょう》が少《すく》ないと主《ぬし》のサイズは小《ちい》さく、酸素《さんそ》の量《りょう》が多《おお》いと主《ぬし》のサイズは大《おお》きくなるようです。

実際《じっさい》にうんこ化石《かせき》の研究《けんきゅう》を進《すす》めていくと、酸素《さんそ》の量《りょう》が大《おお》きく変化《へんか》した時期《じき》に、うんこ化《か》石《せき》のサイズが大《おお》きくなったり、小《ちい》さくなったりすることがわかっています。

05

酸《さん》素《そ》の量《りょう》によって主《ぬし》のサイズがかわる②

山口県《やまぐちけん》にあるジュラ紀《き》の地層《ちそう》を調査《ちょうさ》したら、海底《かいてい》の泥《どろ》のなかに生息《せいそく》していた小型《こがた》の無《む》セキツイ動物《どうぶつ》のうんこ化石《かせき》が、たくさん見《み》つかりました。

この地層《ちそう》は、ジュラ紀前期《きぜんき》に浅《あさ》い海底《かいてい》でできたもの。

さまざまな研究《けんきゅう》から、ジュラ紀前期《きぜんき》は大規《だいき》模《ぼ》な温暖化《おんだんか》が起《お》こったことがわかっています。

さらに温暖化《おんだんか》の影響《えいきょう》で、海水中《かいすいちゅう》の酸素《さんそ》の量《りょう》が減《へ》ったこともわかっています。

海水中《かいすいちゅう》の酸素《さんそ》の量《りょう》が少《すく》ないということは、うんこ化石《かせき》の大《おお》きさはどうなるでしょうか？

そうです、小《ちい》さくなりますね。

山口県《やまぐちけん》の地層《ちそう》から見《み》つかったうんこ化石《かせき》のサイズも、酸素《さんそ》の量《りょう》が少《すく》ない時期《じき》のものは、前後《ぜんご》の時代《じだい》のうんこ化石《かせき》とくらべると小《ちい》さくなっていました。

逆《ぎゃく》に、酸素《さんそ》の量《りょう》が多《おお》い時代《じだい》もありました。

過去《かこ》5億年《おくねん》のあいだで、もっとも酸素《さんそ》の量《りょう》が多《おお》かった時期《じき》の1つは、**石炭紀《せきたんき》**です。

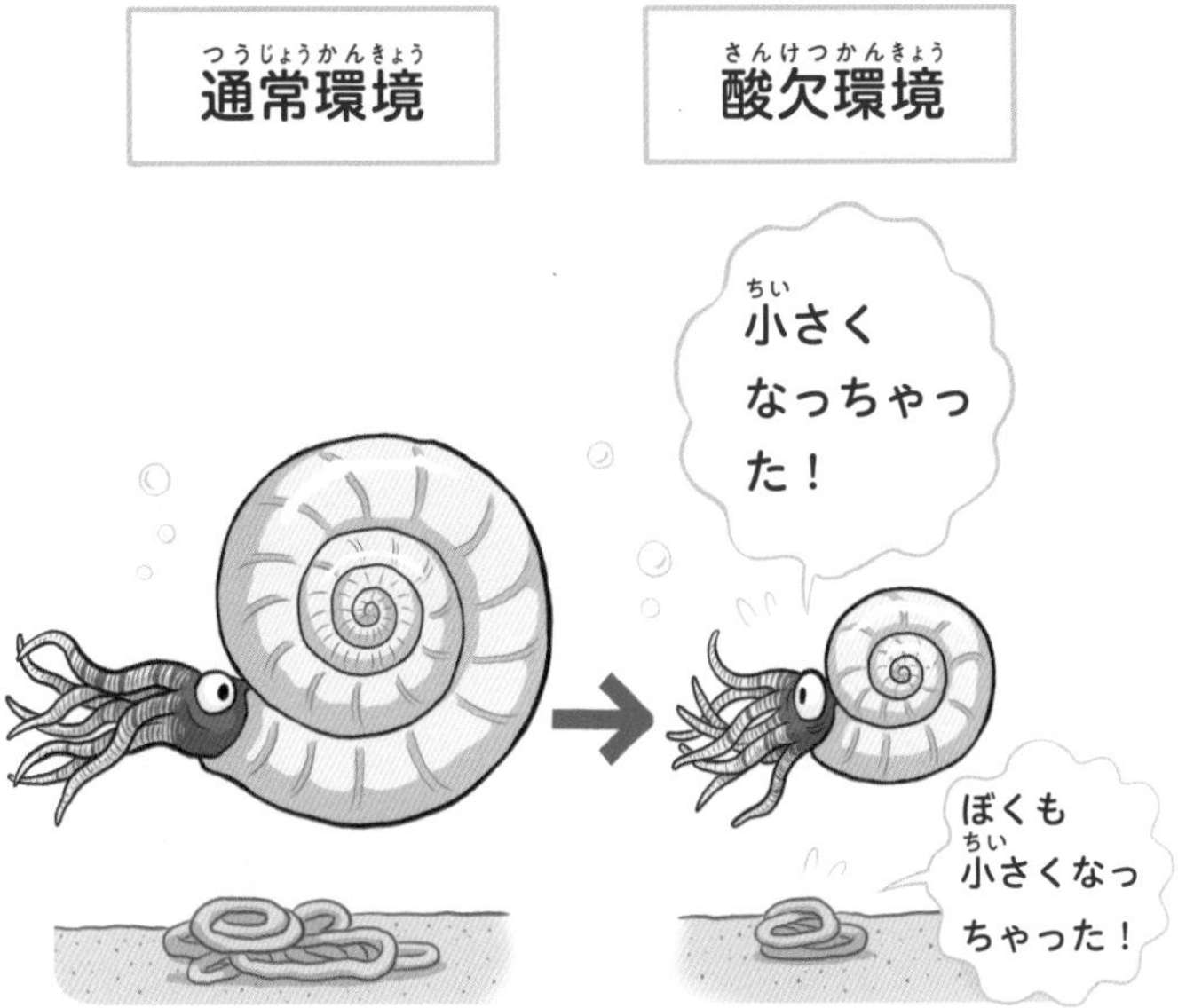
通常環境《つうじょうかんきょう》
酸欠環境《さんけつかんきょう》
小《ちい》さくなっちゃった！
ぼくも小《ちい》さくなっちゃった！

このとき、陸上《りくじょう》ではヤスデの一種《いっしゅ》で2・6mもあるアースロプレウラなど、大型動物《おおがたどうぶつ》がはびこっていたことがわかっています。

このように、うんこ化石《かせき》の大《おお》きさから地《ち》球環境《きゅうかんきょう》の変化《へんか》という、大《おお》きなスケールをも知《し》ることができるなんて！

うんこといえども、奥《おく》が深《ふか》いですね。

コラム 5

うんこは絶滅危惧種《ぜつめつきぐしゅ》を知《し》るためにも重要《じゅうよう》なデータ

予防《よぼう》接種《せっしゅ》や血液検査《けつえきけんさ》など、健康管理《けんこうかんり》や健康《けんこう》状態《じょうたい》を知《し》るために注射《ちゅうしゃ》をします。

動物《どうぶつ》も同《おな》じ。

動物《どうぶつ》に注射《ちゅうしゃ》を使《つか》って採取《さいしゅ》した血液《けつえき》から、健《けん》康状態《こうじょうたい》を調《しら》べることもあります。

でも、注射《ちゅうしゃ》って怖《こわ》いですよね。

動物《どうぶつ》も同《おな》じで、とても負担《ふたん》になります。

そこで、**うんこの出番《でばん》**です!

うんこは、情報《じょうほう》の宝庫《ほうこ》でしたね*。

でも、うんこからわかる情報《じょうほう》は、今《いま》この瞬《しゅん》間《かん》のリアルタイムの情報《じょうほう》ではありません。

血液《けつえき》からわかる情報《じょうほう》と、うんこからわかる情報《じょうほう》をくらべると、血液《けつえき》よりもうんこのほうが遅《おく》れていて、うんこからは、だいたい1～2日前《にちまえ》の健康状態《けんこうじょうたい》がわかるようです。

それでも、動物《どうぶつ》に負担《ふたん》をかけることなく健《けん》康状態《こうじょうたい》がわかるので、**うんこはとても重要《じゅうよう》なのです。**

さらに、珍《めずら》しい動物《どうぶつ》や絶滅危惧種《ぜつめつきぐしゅ》を研究《けんきゅう》するときにも、うんこが役立《やくだ》ちます。

たとえば、ガラパゴス諸島《しょとう》など、その島《しま》にしか住《す》んでいない野生動物《やせいどうぶつ》を**固有種《こゆうしゅ》**といいます。

固有種《こゆうしゅ》や絶滅危惧種《ぜつめつきぐしゅ》は、島《しま》の外《そと》に出《だ》したり、触《ふ》れることは禁止《きんし》されていることが多《おお》いので、健康状態《けんこうじょうたい》を確認《かくにん》したり、研究《けんきゅう》するときはおもに2つの方法《ほうほう》があります。

1. ビデオカメラを設置《せっち》して、行動《こうどう》をモニタリングする

---

2. うんこを採取《さいしゅ》して、観察《かんさつ》・成分分析《せいぶんぶんせき》をする

このように、うんこは**黒子的存在《くろこてきそんざい》**で、健康《けんこう》状態《じょうたい》の確認《かくにん》や研究《けんきゅう》で役立《やくだ》っているのです！

たかがうんこ、されどうんこ——。

＊　100ページ

06 化石《かせき》が宇宙人発見《うちゅうじんはっけん》の糸口《いとぐち》になる!? ①

突然《とつぜん》ですが、あなたは宇宙人《うちゅうじん》、あるいは地球外生命体《ちきゅうがいせいめいたい》を信《しん》じますか？

わたしは、信《しん》じています。

ここまで、うんこメインのお話《はなし》でしたが、もう少《すこ》し話《はなし》を広《ひろ》げさせてください。

題《だい》して、**生痕化石《せいこんかせき》が地球外生命体《ちきゅうがいせいめいたい》を見《み》つける（かも）！**

生痕化石《せいこんかせき》＊とは、うんこや巣穴《すあな》、足《あし》あとなど、古生物《こせいぶつ》の行動《こうどう》のあとの化石《かせき》です。

ゴカイの巣穴《すあな》、二枚貝《にまいがい》やカブトガニがはい回《まわ》ったあと、恐竜《きょうりゅう》の足《あし》あとなど、さまざまな生痕化石《せいこんかせき》が見《み》つかっています。

さらに、目《め》では見《み》えないほど小《ちい》さな微生物《びせいぶつ》の生痕化石《せいこんかせき》もあります。岩石《がんせき》や鉱物《こうぶつ》のなかに、微生物《びせいぶつ》が小《ちい》さな穴《あな》をあけてすみついたあとが、化石《かせき》として残《のこ》っているのです。

そんな微生物《びせいぶつ》による生痕化石《せいこんかせき》、なんと**約《やく》30億年前《おくねんまえ》の玄武岩《げんぶがん》**からも発見《はっけん》されています。

玄武岩《げんぶがん》は、ゲームのマインクラフトにも出《で》てくる、マグマが冷《ひ》えかたまってできた火成《かせい》岩《がん》の1つです。

高温《こうおん》のマグマでは千度以上《せんどいじょう》になり、熱《あつ》すぎて、動物《どうぶつ》は生《い》きられない……。

なので、基本的《きほんてき》に火成岩《かせいがん》のなかに化石《かせき》はありません。

ただ、火成岩《かせいがん》になったあとにできたひび割《わ》れなどのスキマに、微生物《びせいぶつ》がすみつくことがあるようです。

この玄武岩《げんぶがん》から発見《はっけん》された、微生物《びせいぶつ》の生痕《せいこん》化石《かせき》もそうでしょう。

水中《すいちゅう》にあった玄武岩《げんぶがん》が割《わ》れてしまい、そこに流《なが》れていた水《みず》のなかで生《い》きていた微生物《びせいぶつ》が、玄武岩《げんぶがん》のなかに、とっても小《ちい》さな穴《あな》をあけることもあったようです。

このように、いくつもの可能性《かのうせい》が絡《から》み合《あ》って、レアな化石《かせき》ができあがるだけでなく、奇《き》跡的《せきてき》に発見《はっけん》されることもあるのです。

＊　27ページ

07 化石《かせき》が宇宙人《うちゅうじん》発見《はっけん》の糸口《いとぐち》になる!? ②

生痕化石《せいこんかせき》が何《なに》かわかったところで、話《はなし》の舞台《ぶたい》を地球《ちきゅう》から**火星《かせい》**に移《うつ》してみましょう。

今《いま》の火星《かせい》に海《うみ》や川《かわ》はありませんが、約《やく》40億《おく》年前《ねんまえ》には**火星《かせい》にも水《みず》があった**ことがわかっています。

また、火星《かせい》はおもに**玄武岩《げんぶがん》**からできています。

水《みず》と玄武岩《げんぶがん》……。

そう、もし火星《かせい》の玄武岩《げんぶがん》から微生物《びせいぶつ》の生痕《せいこん》化石《かせき》が見《み》つかれば、かつて火星《かせい》には生命体《せいめいたい》がいたかもしれない——。

そしてもしかしたら、本当《ほんとう》にもしかしたら、火星《かせい》には今《いま》も生命体《せいめいたい》がいるかもしれない——。

今《いま》のところ地球《ちきゅう》以外《いがい》に、生命体《せいめいたい》がいる天体《てんたい》があるかはわかっていませんが、火星《かせい》は古《ふる》くから地球外生命探査《ちきゅうがいせいめいたんさ》の的《まと》となり、研究《けんきゅう》が進《すす》められています。

2021年《ねん》には、NASA《ナサ》が探査車《たんさしゃ》の「パーシビアランス」を火星《かせい》に着陸《ちゃくりく》させて、火星《かせい》の写真《しゃしん》などの撮影《さつえい》に成功《せいこう》しました。

一応《いちおう》、火星《かせい》から生命体《せいめいたい》のあとと思《おも》われるものは、これまでにいくつか報告《ほうこく》されています。

でも、まだまだわからないことが多《おお》いようです。

２００３年《ねん》に日本《にほん》が打《う》ち上《あ》げた小惑星探査機《しょうわくせいたんさき》の「はやぶさ」は、小惑星《しょうわくせい》イトカワの地《ち》表《ひょう》の物質《ぶっしつ》（サンプル）を採取《さいしゅ》して、地球《ちきゅう》にもちかえりました。

今《いま》はまだ、サンプルの数《かず》が少《すく》ないので、生《せい》痕化石《こんかせき》の研究《けんきゅう》まではできません。

それでも技術《ぎじゅつ》がどんどん進歩《しんぽ》し、たくさんのサンプルをもちかえられれば、生痕化石《せいこんかせき》の研究《けんきゅう》が役《やく》に立《た》てるかもしれないのです。

火星《かせい》から採取《さいしゅ》したサンプルをくわしく観察《かんさつ》することで、地球外生命体《ちきゅうがいせいめいたい》の生痕化石《せいこんかせき》を見《み》つけられるかも！

夢《ゆめ》のような話《はなし》も、夢《ゆめ》では終《お》わらないかもしれませんね。

「はやぶさ２」©JAXA

はやぶさ２　リュウグウからのサンプル ©JAXA

コラム 6

自分《じぶん》の うんこを 未来《みらい》に残《のこ》そう！

うんこ化石《かせき》について講演《こうえん》などをしていると、ときどきおもしろい質問《しつもん》があります。

その1つが、**「自分《じぶん》のうんこを化石《かせき》にすることはできますか？」**です。

可能性《かのうせい》は低《ひく》そうですが、考《かんが》え方《かた》によっては自分《じぶん》のうんこ化石《かせき》をつくれるかもしれません。

ポイントは、**うんこを何《なん》とかしてアパタイトにかえる**ことです。

そのへんに野《の》ざらしにされたうんこが、アパタイトにかわって化石《かせき》になることはむずかしいでしょう。

うんこがアパタイトにかわる可能性《かのうせい》がもっとも高《たか》い場所《ばしょ》は、海底《かいてい》などの堆積物《たいせきぶつ》のなかでしたね。

そして、アパタイトになるには、リンちゃ

んとカルシウムくんが必要《ひつよう》でした。

リンちゃんは、うんこが微生物《びせいぶつ》によって分《ぶん》解《かい》されるときに出《で》てきます。

カルシウムくんは、水中《すいちゅう》にたくさんいます。なので、自分《じぶん》のうんこを化石《かせき》にするためには、出《で》たての生《なま》うんこを、何《なん》とかして海底《かいてい》の堆積物《たいせきぶつ》のなかに埋《う》めるしかありません。


でも、だからといって絶対《ぜったい》にうんこがアパタイトにかわるというわけではありません。

アパタイトにかわらない、つまり、うんこ化石《かせき》になれなかったうんこのほうが、圧倒的《あっとうてき》にたくさんありましたよね。

それでも、何《なん》とかしてうんこを化石《かせき》にする可能性《かのうせい》を高《たか》めたい！


そんなときは、うんこに含《ふく》まれるリンの量《りょう》を少《すこ》しでも増《ふ》やすのがよさそうです。

リンはうんこからしか出《で》てこないので、水《すい》中《ちゅう》に多《おお》くあるカルシウムよりも貴重《きちょう》です。

リンは、骨《ほね》や筋肉《きんにく》などに多《おお》く含《ふく》まれていました。

つまり、自分《じぶん》のうんこを化石《かせき》にするためには、**お肉《にく》をたくさん食《た》べましょう！**

とはいえ、バランスのいい食事《しょくじ》が大切《たいせつ》です。くれぐれも、うんこ化石《かせき》をつくりたいからといって、「野菜《やさい》は食《た》べない！」みたいなことはないようにしてくださいね。

化石《かせき》になれよ
オレのうんこ！

付録《ふろく》

古生物学者《こせいぶつがくしゃ》、化石《かせき》を研究《けんきゅう》する

化石《かせき》はどこにある？

01

ここからは、わたしたち古生物学者《こせいぶつがくしゃ》が化石《かせき》を研究《けんきゅう》するための方法《ほうほう》を、お話《はな》ししましょう。

うんこ化石《かせき》にかぎらず、もともと**すべての化石《かせき》は地層《ちそう》のなか**に埋《う》まっています。

地層《ちそう》は、砂岩《さがん》や泥岩《でいがん》などの岩石《がんせき》が、広《ひろ》い範囲《はんい》に分布《ぶんぷ》している**岩体《がんたい》**です。

地層《ちそう》はすべて屋外《おくがい》にあるので、化石《かせき》を見《み》つけたい場合《ばあい》は、外《そと》に出《で》かけましょう。

ただ、計画《けいかく》せずに出《で》かけても化石《かせき》には出会《であ》えません。

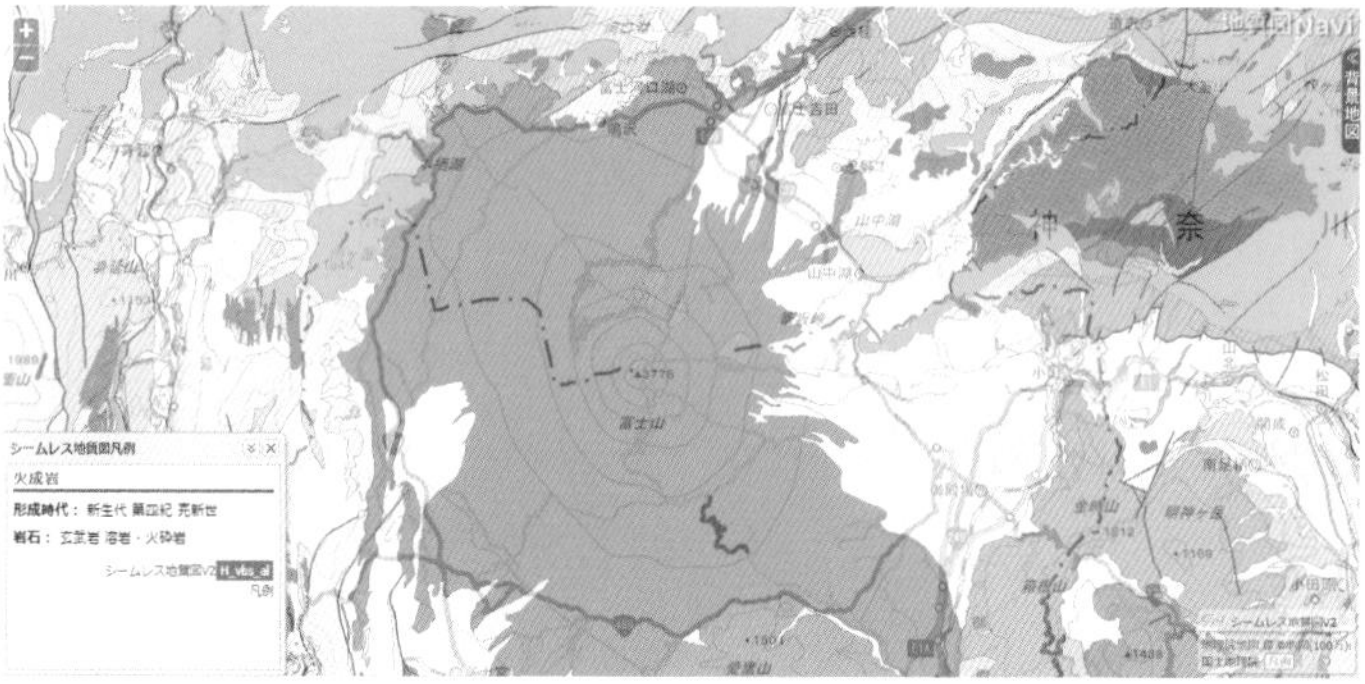

富士山《ふじさん》の周《まわ》りを見《み》てみると、さまざまな地層《ちそう》があることがわかりますね。

20 万分の 1 日本シームレス地質図 V 2© 産総研地質調査総合センター

そもそも、どこに、どのような地層《ちそう》があるのかわからなければ、途方《とほう》に暮《く》れるだけ……。

また、日本《にほん》の表土《ひょうど》はほとんどが森林《しんりん》や住宅地《じゅうたくち》なので、地層《ちそう》がむき出《だ》していて、野《の》ざらしになっている場所《ばしょ》は少《すく》ないのです。

とくに、日常生活《にちじょうせいかつ》の行動《こうどう》の範囲内《はんいない》には、ほとんどありません。

なので、**化石《かせき》がある可能性《かのうせい》が高《たか》い地層《ちそう》**に行《い》くためには、事前《じぜん》の準備《じゅんび》がとても大事《だいじ》です。

「どこに、どのような地層《ちそう》があるのか？」

かなりマニアックで、ピンポイントな質問《しつもん》ですね。

そんな質問《しつもん》に答《こた》えてくれる都合《つごう》のいい情報《じょうほう》なんて……、あります。

建物《たてもの》や土壌《どじょう》などをすべてはぎ取《と》ったら、地《ち》層《そう》が出《で》てきます。

どんな地層《ちそう》が、どこにどのように分布《ぶんぷ》しているのかを示《しめ》すマップを**地質図《ちしつず》**といいます。

これまでの研究《けんきゅう》によって、日本《にほん》の地質図《ちしつず》はかなりよく整理《せいり》されていて、今《いま》では「地質図《ちしつず》Ｎａｖｉ」＊で、だれでも無料《むりょう》で使《つか》うことができるのです！

グーグル・マップと同《おな》じように、好《す》きな場《ば》所《しょ》にカーソルを合《あ》わせれば、その場所《ばしょ》の地層《ちそう》の種類《しゅるい》がわかります。

実際《じっさい》に「地質図《ちしつず》Ｎａｖｉ」を見《み》ると、日本《にほん》がさまざまな岩石《がんせき》でできていることがわかりますよ。

＊　産業技術総合研究所《さんぎょうぎじゅつそうごうけんきゅうじょ》「地質図《ちしつず》Navi」https://gbank.gsj.jp/geonavi/

02

化石《かせき》があるかもしれない地層《ちそう》の見《み》つけ方《かた》

「地質図《ちしつず》Navi」を使《つか》って、地層《ちそう》がある場所《ばしょ》を探《さが》すことができても、絶対《ぜったい》に化石《かせき》が見《み》つかるわけではありません。

すべての地層《ちそう》に、必《かなら》ず化石《かせき》があるわけではないから……。

では、どうやって**「化石《かせき》がある地層《ちそう》」**を見《み》つければいいのでしょうか？

正直《しょうじき》、これはかなりむずかしいです。

論文《ろんぶん》を読《よ》んだり、専門家《せんもんか》に聞《き》いたりして、すでに化石《かせき》があるとわかっている地層《ちそう》の情報《じょうほう》を調《しら》べなければなりません。

そうでなければ、自分《じぶん》で化石《かせき》がある地層《ちそう》を見《み》つけるしかありません。

地層《ちそう》があるのは、日本《にほん》の一部《いちぶ》の地域《ちいき》――。

それでも、信《しん》じられないくらい広《ひろ》い範囲《はんい》。

そのうち、化石《かせき》があるのは、一握《ひとにぎ》りのなかの一握《ひとにぎ》り……。

「日本《にほん》のどこかに、まだだれも知《し》らない化石《かせき》が眠《ねむ》っている場所《ばしょ》があるんだ！」とも思《おも》うかもしれませんが、実際《じっさい》に未知《みち》の化石《かせき》

ひとこと

岩石《がんせき》には、さまざまな種類《しゅるい》があります。

砂岩《さがん》や泥岩《でいがん》などの堆積岩《たいせきがん》のほかには、たとえばマグマが冷《ひ》えて固《かた》まってできる岩石《がんせき》（火成岩《かせいがん》）もあります。

化石《かせき》は地層《ちそう》、つまり堆積岩《たいせきがん》のなかにあります。

湖《みずうみ》や海《うみ》に生息《せいそく》していた動物《どうぶつ》や動物《どうぶつ》のうんこは、死《し》んだあとに湖《みずうみ》や海《うみ》の底《そこ》の砂《すな》や泥《どろ》に埋《う》まり、堆積岩《たいせきがん》のなかに化石《かせき》として保存《ほぞん》されるのです。


が眠《ねむ》っている地層《ちそう》を新《あら》たに探《さが》し出《だ》すのは、とても気《き》が遠《とお》くなるほど根気《こんき》のいる作業《さぎょう》なのです。

どうやって化石《かせき》を採《と》るの？

03

さて、いろいろな方法《ほうほう》を使《つか》って、化石《かせき》がある地層《ちそう》が見《み》つかったとしましょう。

運《うん》がよければ、地層《ちそう》がひび割《わ》れていたり、風化《ふうか》したりしていて、素手《すで》で化石《かせき》を採《と》り出《だ》すこともあるでしょう。

でも、地層《ちそう》の実体《じったい》は岩石《がんせき》のかたまり——。基本的《きほんてき》には、かたい堆積岩《たいせきがん》から素手《すで》で化石《かせき》を採《と》り出《だ》せないので、道具《どうぐ》を使《つか》います。

一般的《いっぱんてき》に使《つか》う道具《どうぐ》は、**ハンマー**と**タガネ**（太《ふと》いクギみたいなもの）です。

ただ、道具《どうぐ》があっても地層《ちそう》から化石《かせき》だけを採《と》り出《だ》すのは、**ほぼ不可能《ふかのう》！**

化石《かせき》の周《まわ》りには、岩石《がんせき》がスキマなくあるので、化石《かせき》の周《まわ》りの岩石《がんせき》ごと採《と》り出《だ》すのです。

化石《かせき》を発見《はっけん》したら、化石《かせき》の周《まわ》りの地層《ちそう》をよく観察《かんさつ》して、タガネを差《さ》しこみやすそうな場《ば》所《しょ》を探《さが》し、差《さ》しこんだタガネをハンマーでたたいて、化石《かせき》がある岩石《がんせき》ごと採《と》り出《だ》します。

このとき、細心《さいしん》の注意《ちゅうい》をはらってハンマーを使《つか》いましょう。

安全第一《あんぜんだいいち》！

手《て》がすべってハンマーが飛《と》んでいったり、自分《じぶん》の手《て》をハンマーで打《う》ったり、岩石《がんせき》のカケラが目《め》に飛《と》び散《ち》ることもあるかもしれません。

作業《さぎょう》するときは、周《まわ》りに人《ひと》がいないことを確認《かくにん》し、自分《じぶん》の手《て》や目《め》を守《まも》るために**軍手《ぐんて》**や**保護《ご》メガネ**、**ヘルメット**をつけましょう。

04

化石《かせき》は採《と》って終《お》わりじゃない

苦労《くろう》して採《と》り出《だ》した化石《かせき》ですが、観察《かんさつ》するためには、まだ不十分《ふじゅうぶん》です。

たとえば、化石《かせき》の一部《いちぶ》が岩石《がんせき》のなかに埋《う》まっていたら、化石《かせき》の全体《ぜんたい》の形《かたち》や大《おお》きさがわかりません。

表面《ひょうめん》だけ見《み》ても、どのくらい奥《おく》まで化石《かせき》が埋《う》まっているかわからないからです。

そこで、化石《かせき》の全体《ぜんたい》の形《かたち》を観察《かんさつ》しやすくするために、化石《かせき》の周《まわ》りの岩石《がんせき》を取《と》り除《のぞ》きます。

これを古生物学《こせいぶつがく》の専門用語《せんもんようご》では、**クリーニング**といいます。

小型《こがた》のハンマーやクギやブラシ、時《とき》にはエアースクライバーという歯医者《はいしゃ》さんで使《つか》う機械《かい》のような器具《きぐ》を使《つか》います。

化石《かせき》をクリーニングするときも、すごく小《ちい》

さな岩石《がんせき》のカケラが目《め》に入《はい》る可能性《かのうせい》があるので、保護《ほご》メガネをつけましょう。
　このように、労力《ろうりょく》と時間《じかん》をかけて、わたしたち古生物学者《こせいぶつがくしゃ》は、化石《かせき》からより多《おお》くの情報《じょうほう》を集《あつ》めて研究《けんきゅう》しているのです。
　うんこ化石《かせき》はもちろん、恐竜《きょうりゅう》などの古生物《こせいぶつ》、あるいは過去《かこ》の地球環境《ちきゅうかんきょう》などに興味《きょうみ》があれば、ぜひ古生物学《こせいぶつがく》のトビラをたたいてみてください！

05

古生物学者《こせいぶつがくしゃ》が見《み》ているところ

古生物学者《こせいぶつがくしゃ》というと、屋外《おくがい》で化石《かせき》の発掘《はっくつ》をしたり、化石《かせき》とにらめっこしたりしているイメージでしょうか？

古生物学《こせいぶつがく》の研究《けんきゅう》の多《おお》くは、化石《かせき》を研究《けんきゅう》して過去《かこ》の動物《どうぶつ》についてや、暮《く》らし方《かた》、過去《かこ》の地球環境《ちきゅうかんきょう》などを明《あき》らかにしようとしています。

まちがいなく、化石《かせき》は古生物学《こせいぶつがく》における最重要《さいじゅうよう》な研究《けんきゅう》対象《たいしょう》です。

でも、それだけではありません。

（わたしだけかもしれませんが……）古生物学者《こせいぶつがくしゃ》は、今《いま》生《い》

きている動物《どうぶつ》を見《み》て、こんなことをついつい考《かんが》えてしまいます。

・この動物《どうぶつ》が化石《かせき》になったら、どの部分《ぶぶん》が残《のこ》るのかな？

・この動物《どうぶつ》が化石《かせき》になったら、暮《く》らしぶりについて、何《なに》がわかるんだろう？

・この動物《どうぶつ》のこんなデータがあれば、化石《かせき》の研究《けんきゅう》に役立《やくだ》ちそうだな　など

古生物《こせいぶつ》の生《い》きていた姿《すがた》を見《み》ることは、絶対《ぜったい》にできません。

それでもなんとかして古生物《こせいぶつ》の生《い》きていたときの姿《すがた》を推理《すいり》するためには、化石《かせき》ばかりに目《め》を向《む》けていても、じつはわからないことばかりなのです。

今《いま》生《い》きている生《い》き物《もの》を、古生物学者《こせいぶつがくしゃ》ならではの視点《してん》で観察《かんさつ》したり、紙《かみ》とペン、そしてコンピュータを駆使《くし》して数理《すうり》モデルを使《つか》い古生《こせい》物《ぶつ》の行動《こうどう》をシミュレーションしたり――。

今後《こんご》はもしかしたら、古生物学《こせいぶつがく》というよりも、**地球生命科学《ちきゅうせいめいかがく》**とでも呼《よ》ぶべき新《あら》たな学《がく》問《もん》を立《た》ち上《あ》げて、より広《ひろ》い範囲《はんい》に目《め》を向《む》けて研究《けんきゅう》していく。

それこそが、より一歩《いっぽ》進《すす》んで、地球《ちきゅう》の過去《かこ》を知《し》るためにも必要《ひつよう》なことかもしれません。

動物園《どうぶつえん》は情報《じょうほう》の宝庫《ほうこ》 06

わたしは最近《さいきん》、動物園《どうぶつえん》に協力《きょうりょく》してもらって、**うんこの大《おお》きさから動物《どうぶつ》の大《おお》きさを正確《せいかく》に推《すい》定《てい》する方法《ほうほう》**について研究《けんきゅう》しています。

でも、**道《みち》のりは遠《とお》い……**。

ポチがしたうんこなのか証明《しょうめい》するのがむずかしかった*1ように、落《お》ちているうんこが、だれのうんこかを知《し》るのは、とてもむずかしいからです。

それでも、花子《はなこ》というゾウが1匹《ぴき》でケージのなかで生活《せいかつ》していたら、花子《はなこ》がうんこをしている瞬間《しゅんかん》を見《み》ていなくても、ケージのなかに落《お》ちているうんこは**うんこは全部《ぜんぶ》、花子《はなこ》のもの**です。

ただ、ケージのなかで何匹《なんびき》も生活《せいかつ》していたらどうでしょうか?

たとえば、レオやララ、サンというライオンがいて、うんこをした瞬間《しゅんかん》を見《み》ていなければ、ライオンのうんこということはわかっても、**レオのうんこ**か、**ララのうんこ**か、**サンのうんこ**かはわかりません。

それでも、さまざまな動物《どうぶつ》のうんこの特《とく》徴《ちょう》がわかれば、化石《かせき》になったうんこから、より正確《せいかく》に何《なん》の動物《どうぶつ》なのかなど推測《すいそく》できます。

これまでは、草食《そうしょく》と雑食《ざっしょく》のほ乳類《にゅうるい》のうんこを使《つか》って研究《けんきゅう》してきました。

ゾウやキリンなど、大《おお》きな動物《どうぶつ》であっても、うんこの形《かたち》がちがいましたね＊2。

胃《い》が1つの非反芻動物《ひはんすうどうぶつ》か、胃《い》が4つの反芻《はんすう》動物《どうぶつ》か――。

同《おな》じほ乳類《にゅうるい》といっても、反芻《はんすう》するかしないかによって、うんこの形《かたち》や大《おお》きさがちがうのです。

動物園《どうぶつえん》には、さまざまな種類《しゅるい》の動物《どうぶつ》が集《あつ》まっているので、研究《けんきゅう》をするための科学《かがく》データを集《あつ》めるのにもってこい！

そんなわけで、動物園《どうぶつえん》はうんこ化石博士《かせきはかせ》であるわたしにとって、**情報《じょうほう》の宝庫《ほうこ》**なのです。

＊1　34ページ
＊2　92ページ

07

なんで、どれくらいのうんこが化石《かせき》になるか研究《けんきゅう》されていないの？

化石《かせき》になるうんこは、0・00001%よりも少《すく》ないだろうといいました*。

でも、だれも研究《けんきゅう》していないので、本当《ほんとう》のところはまったくわかりません。

なぜ、どれくらいのうんこが化石《かせき》になるか、研究《けんきゅう》されていないのでしょうか？

それは、古生物学《こせいぶつがく》の場合《ばあい》、**化石《かせき》が研究《けんきゅう》のスタートになることが多《おお》い**からでしょう。

古生物学《こせいぶつがく》の研究《けんきゅう》では、ある地層《ちそう》から発見《はっけん》された化石《かせき》を研究《けんきゅう》したり、すでに発見《はっけん》された化《か》石《せき》をこれまでの研究《けんきゅう》とはちがう方法《ほうほう》で研究《けんきゅう》したりするからです。

いくら化石《かせき》になることが珍《めずら》しくても、目《め》の前《まえ》に化石《かせき》があるので、**「この化石《かせき》が、化石《かせき》になったことは、どれくらい珍《めずら》しいんだろう？」**と考《かんが》える人《ひと》は少《すく》ないかもしれません。

「なんでだろう？」「ふしぎだな〜」という疑問《ぎもん》をもたないと、そもそも研究《けんきゅう》ははじまりません。

だから、どれくらいのうんこが化石《かせき》として

残《のこ》るのか、まだ研究《けんきゅう》されていないのです。

また、うんこだからこその理由《りゆう》も考《かんが》えられます。

どれくらいのうんこが化石《かせき》になるかを調《しら》べるためには、うんこが分解《ぶんかい》される速《はや》さを調《しら》べたり、うんこを砂《すな》や泥《どろ》に埋《う》めて観察《かんさつ》したりする研究《けんきゅう》が必要不可欠《ひつようふかけつ》です。

そうとなれば、かなりのクサさと向《む》き合《あ》わなければならないでしょう。

草食動物《そうしょくどうぶつ》のうんこならまだしも、雑食《ざっしょく》や肉食《にくしょく》の動物《どうぶつ》のうんこは**と－－－－－ってもクサい!!**

考《かんが》えただけで、研究《けんきゅう》するのが大変《たいへん》そうです。

さらに臭《にお》いは周《まわ》りにも広《ひろ》がるので、実験《じっけん》をする場所《ばしょ》を準備《じゅんび》するのもむずかしいかもしれません……。

うんこを研究材料《けんきゅうざいりょう》にするには、いろいろな問題《もんだい》があるので、なかなか研究《けんきゅう》する人《ひと》がいないのでしょう。

それでも、うんこを研究《けんきゅう》したいと思《おも》う**勇者**《ゆうしゃ》を、わたしはいつでも募集《ぼしゅう》しています！

＊　60ページ

おわりに

この本《ほん》を読《よ》むまでは、「うんこ化石《かせき》」と聞《き》くと、プププと笑《わら》えるものだったかもしれません。

でも、ここまで読《よ》んでみると、うんこの見《み》方《かた》がかわったのではないでしょうか？

たかがうんこ、されどうんこ。

うんこは情報《じょうほう》の宝庫《ほうこ》であり、うんこ化石《かせき》など の生痕化石《せいこんかせき》からは地球《ちきゅう》や生命《せいめい》の歴史《れきし》だけではなく、ひょっとしたら地球外生命《ちきゅうがいせいめい》の解明《かいめい》にもつながる……かもしれないのです。

そんな未来《みらい》を夢見《ゆめみ》て、今日《きょう》も研究《けんきゅう》に励《はげ》みます。

少《すこ》しでも「おもしろい！」と思《おも》ったら、ぜひ、うんこ化石《かせき》の世界《せかい》へ飛《と》びこんでみてください！

いつでもお待《ま》ちしています！

泉 賢太郎（いずみ・けんたろう）

うんこ化石博士　古生物学者
千葉大学教育学部准教授。博士（理学）。1987年、東京都生まれ。2015年、東京大学大学院理学系研究科地球惑星科学専攻博士課程修了。専門は、生痕化石に記録された古生態の研究など。化石の観察だけでなく、数理モデルを使ったシミュレーションなど、さまざまな方法を駆使して研究している。「チバニアン」研究チームでも活躍した。
著書に『ウンチ化石学入門』（集英社インターナショナル）、『化石のきほん』（誠文堂新光社）、『古生物学者と40億年』（筑摩書房）などがある。SNSで古生物学の魅力を発信している。X（旧Twitter）：@seikonkaseki

地球と生命の歴史がわかる！
うんこ化石

2024年6月25日　第1刷発行

著　者　　泉 賢太郎

発行者　　矢島和郎
発行所　　株式会社 飛鳥新社
〒101-0003
東京都千代田区一ツ橋 2-4-3 光文恒産ビル
電話（営業）03-3263-7770（編集）03-3263-7773
https://www.asukashinsha.co.jp

本文・カバーデザイン　藤塚尚子（e to kumi）
校　正　　佐々木彩夏

印刷・製本　中央精版印刷株式会社

※ p89の写真は、Lerosey-Aubril博士にご提供いただきました。以下の論文に掲載されています。LEROSEY-AUBRIL R., HEGNA T.A., KIER C., BONINO E., HABERSETZER J. & CARRÉ M. 2012. Controls on gut phosphatisation: the trilobites from the Weeks Formation Lagerstätte (Cambrian; Utah). PLoS ONE 7(3): e32934. DOI: 10.1371/journal.pone.0032934

ISBN978-4-86801-018-0

編集担当　吉盛絵里加